W9-BKW-326

HISTOIRES (PRESQUE) VRAIES

Née à Genève en 1916, Françoise Giroud a été script-girl (1932), assistante-metteur en scène (1937). Elle a écrit des chansons, des scénarios, des dialogues (*Antoine et Antoinette* ; *L'Amour, madame* ; *La Belle que voilà*) avant de se consacrer au journalisme. Elle a dirigé la rédaction du magazine *Elle* de 1945 à 1953 et fondé en 1953 avec Jean-Jacques Servan-Schreiber l'hebdomadaire *L'Express*, dont elle a assuré la direction jusqu'en 1974. Françoise Giroud a été secrétaire d'État à la Condition féminine de 1974 à 1976, puis secrétaire d'État à la Culture dans le premier gouvernement Barre (1976-1977).
Ses œuvres : deux recueils de « portraits » – *Le Tout-Paris* (1952), *Nouveaux Portraits* (1953) ; un essai sur la jeunesse (1958) – *La Nouvelle vague*, expression dont elle est l'auteur ; *Si je mens...* (1972) ; *Une poignée d'eau* (1973) ; *La Comédie du pouvoir* (1977) ; *Ce que je crois* (1978) ; *Une femme honorable, Marie Curie* (1981) ; *Le Bon Plaisir* (1983) ; *Christian Dior* (1987) ; *Alma Mahler ou l'Art d'être aimée* (1988, Grand Prix littéraire de la Femme) ; *Jenny Marx ou la Femme du diable* (1989) ; *Leçons particulières* (1990) ; *Le Journal d'une Parisienne* (premier tome en 1994, cinquième tome en 2000) ; *Les Hommes et les Femmes* (1993) (en collaboration avec Bernard-Henri Lévy) ; *Mon très cher amour* (1995) ; *Cosima la sublime* (1996) ; *Cœur de Tigre* (1995) ; *Arthur ou le Bonheur de vivre* (1997) ; *Les Françaises* (1998) ; *La Rumeur du monde* (1999) ; *On ne peut pas être heureux tout le temps* (2000) ; *Profession : journaliste* (conversations avec Martine de Rabaudy) (2001).
Françoise Giroud est membre du jury du prix Femina depuis 1992. Elle donne chaque semaine une chronique au *Nouvel Observateur*.

Paru dans Le Livre de Poche :

ARTHUR OU LE BONHEUR DE VIVRE
DEUX ET DEUX FONT TROIS
LES FRANÇAISES
LEÇONS PARTICULIÈRES
MON TRÈS CHER AMOUR
LA RUMEUR DU MONDE
UNE FEMME HONORABLE

FRANÇOISE GIROUD

Histoires (presque) vraies

RÉCITS

FAYARD

ROMANCE À PÉKIN

L'avion avait amorcé sa descente sur Pékin.

Judith redressa son siège, assura sa queue de cheval, boutonna son jean, bâilla en montrant une langue rose de petit chat. Le jour balayait à peine la nuit ; le trajet depuis Shangaï avait été court, elle était encore toute molle de sommeil.

Quelques voyageurs descendirent, qui se ressemblaient tous avec leur costume sombre et leur serviette. Ils s'évanouirent dans l'aéroport majestueux où déambulaient seulement quelques balayeurs nonchalants.

Judith chercha où prendre un café. Pas de café. Elle voulut récupérer ses valises. Pas de valises ! Ah si ! elles étaient là, plantées toutes seules à côté du tapis roulant arrêté. Un porteur ? Pas de porteur. Elle les tira jusqu'à l'escalier mécanique pour gagner le premier étage où l'on apercevait des fauteuils hospitaliers. L'escalier ne fonctionnait pas. Elle sut plus tard que c'était par souci d'économies. On ne le mettait en marche qu'aux heures de départ. Elle essaya de hisser ses valises marche après marche mais s'arrêta, haletante.

Alors une voix dit en français :

— Je peux vous aider ?

Elle se retourna.

C'était un homme avec un faux air d'Humphrey Bogart, imperméable compris. Il s'était déjà emparé des valises et gravissait l'escalier. Un instant, elle craignit un vol. On lui avait dit : « Attention, en Chine on vole tout. » Mais Bogart l'attendait en haut des marches et dit sans un sourire :

— Vous voyez qu'un homme, cela peut parfois être utile.

Puis il s'en fut s'asseoir au milieu d'une rangée de fauteuils et se plongea dans un journal.

Judith s'assit à son tour et reprit son souffle. Après un voyage de quinze jours en Chine et une folle nuit dans une boîte de Shangaï, elle se sentait anéantie. Mais elle avait dix heures pour dormir avant que ne décolle le vol à destination de Paris. Elle voulut allumer une cigarette ; son briquet était épuisé. L'homme surgit et lui tendit du feu, puis s'éloigna.

Une demi-heure plus tard, même jeu.

— Vous fumez trop, dit-il cette fois.

— Vous aussi.

— Je ne dis pas le contraire. Vous allez à Paris ?

— Où voulez-vous que j'aille, d'ici ?

— Alors, nous avons dix heures à passer

ensemble. On pourrait essayer de faire en sorte qu'elles soient agréables.

— On pourrait.

— Je m'appelle Antoine Lemarre et je suis importateur. Et vous ?

— Je m'appelle Judith Stein, je suis photographe et je vous serais reconnaissante de me laisser dormir un peu.

— Comme vous voudrez.

Il s'éloigna. Elle s'enfonça dans son fauteuil. Le silence était presque complet, troublé seulement par le doux bruit des balais.

Quand elle s'éveilla, il se tenait debout près d'elle.

— Qu'est-ce que vous faites ?

— Je vous regarde. Vous dormez comme un lac. C'est très joli.

— Et maintenant, avec votre permission, je vais lire.

— Lisez, lisez, j'ai le temps. Il nous reste neuf heures avant de partir.

Elle fouilla dans son sac. Son livre n'y était plus. Oublié sans doute dans l'avion de Shangaï. Quelle sottise !

Elle s'absorba dans ses pensées. Son fils à qui elle rapportait un petit costume chinois. Il serait heureux. Sa mère qui ne se résignait pas à la voir courir un monde si plein de dangers. Son mari qui ne se résignait pas non plus, mais qui le cachait parce qu'il l'aimait. Elle s'attendrit un instant sur lui, si généreux. Elle agita des questions de travail qui la préoccupaient. Son reportage sur la Chine était bon, l'agence le vendrait bien. Mais il n'était que temps de se mettre aux nouvelles techniques, à la photo numérique, au travail sur ordinateur... Les choses allaient si vite, maintenant.

Et puis, elle commença à s'ennuyer. Sa montre lui indiqua qu'une heure à peine s'était écoulée. Que faisait-il, l'autre, là-bas ? Drôle de personnage. Séduisant, avec son zeste d'insolence. Il se morfondait dans son fauteuil, accablé par cette longue plage de temps qui s'étendait encore devant lui alors qu'il avait lu ses journaux jusqu'au nom du directeur de publication.

Fatalement, ils se mirent à parler.

D'abord, ils dirent n'importe quoi, des banalités. Pour faire du bruit, couvrir la sourde rumeur qui commençait à les habiter et qu'ils ne souhaitaient pas encore reconnaître.

Il demanda pourquoi elle voyageait avec des bagages aussi lourds. Pas très moderne, ça, pour une femme libérée. Car elle était une femme libérée, non ?

— Je ne sais pas, répondit Judith. Mais j'ai une valise pleine de matériel, si ça vous intéresse...

— Bien sûr, ça m'intéresse. Le métier des autres m'intéresse toujours. C'est le seul sujet sur lequel n'importe quel idiot est intéressant.

— Et vous, demanda Judith, qu'est-ce que vous faites ?

— Je vends. Je vends aux Chinois tout ce qu'ils veulent bien m'acheter.

— Et c'est intéressant, ça ?

— Ça dépend des jours. Il faut être malin et bien les connaître. J'ai passé une partie de mon enfance en Asie. Ça aide.

— En somme, vous êtes heureux dans votre métier.

— Non. Pas du tout. J'ai l'air d'un homme heureux ?

— Non. Vous avez l'air d'un loup.

— Et vous, d'une panthère noire.

— Nous pourrions peut-être ouvrir une ménagerie !

Il rit et rajeunit de dix ans.

— Mais racontez-moi. Qu'est-ce que vous faites en Chine ?

— Un reportage.

— Vous êtes venue seule ?

— Non, avec des copains journalistes. Je les ai quittés à Shangaï.

— Les Chinois vous ont laissée travailler ?

— À peu près. On m'a seulement interdit de descendre dans le métro à Pékin.

— Normal. C'est le quartier général antiatomique.

— Ils ont encore peur d'être bombardés ?

— Ils se méfient. Ils se méfieront toujours.

Elle sortit une cigarette, lui demanda à nouveau du feu.

— Non, dit-il. Vous fumez trop, je vous l'ai déjà dit.

Agacée, elle se leva, avisa un des balayeurs et lui montra sa cigarette. L'homme fit « non, non » de la tête. Elle revint à sa place, penaude.

— Écoutez, dit-elle, c'est gentil de prendre soin de ma santé, mais si je ne peux pas fumer, je vais devenir très désagréable.

Il soupira et tira son briquet.

— Bon. Mais je vous préviens qu'à chaque cigarette vous abrégez votre vie d'une minute.

— Vous aussi.

— Oui, mais moi, ça n'a pas d'importance. Je n'ai pas l'intention de vivre vieux.

— Tiens donc ! Et pourquoi ?

— Je m'ennuie.

— C'est une bonne raison.

— N'est-ce pas ? Je suis heureux que vous me compreniez.

— Serait-ce que l'import-export ne suffit pas à vous distraire ?

— Ne vous moquez pas. Il faut bien gagner sa vie. J'ai eu d'autres ambitions, autrefois. Mais la vie m'a cassé les ailes. Alors je fais de l'argent. Il se trouve que je parle chinois et que c'est à la mode ; j'en profite.

— Mais vous vous ennuyez.

— Oui. Pas avec vous. Avec vous, je me sens très bien.

— Je ne suis pas drôle, pourtant.

— Heureusement. J'ai horreur des femmes drôles, qui parlent fort. J'aime qu'elles aient la voix douce et basse comme celles dont parle Shakespeare dans *Le Roi Lear*... Comme vous.

— Vous lisez Shakespeare ?

— Ça m'est arrivé.

— Sans vous offenser, vous avez plutôt la tête d'un lecteur de romans policiers.

— Vous voyez comme on peut se tromper !

— On ne vous a jamais dit que vous ressembliez à Humphrey Bogart ?

— Si. Cela faisait jadis partie de mon arsenal de séducteur.

— Jadis ?

— Quand ça m'amusait. Ça vous amuse, vous, de séduire ?

— Je ne crache pas dessus, mais ça n'est pas ma principale préoccupation.

— Qu'est-ce qui occupe votre esprit ?

— Mon travail, que j'aime, qui est divers et excitant.

— Il y a un homme dans votre vie ?

— Je suis mariée.

— Et comment est-il, ce mari ?

— Il est parfait. Il m'aime et il me laisse royalement tranquille. C'est un homme très civilisé.

Il la regarda longuement, puis :

— Vous me permettez de vous caresser la joue ?

Elle acquiesça. Il passa doucement le dos de sa main sur le visage de Judith.

— Vous n'êtes pas maquillée, c'est bien.

Elle faillit lui dire qu'elle n'en avait simplement pas eu le temps, ce matin, mais, troublée par son geste, elle se tut.

Il voulut lui prendre la main ; elle se déroba.

— Et vous, vous êtes marié ?

— Évidemment. L'homme de quarante ans célibataire est un oiseau rare ou un homosexuel.

— Et vous n'êtes ni l'un ni l'autre.

— Non. Je suis d'une banalité affligeante.

— Elle est comment, votre femme ?

— C'est une sainte. Elle me supporte depuis quinze ans. L'embêtant est que je n'ai rien à lui dire. Et, d'ailleurs, elle non plus.

— Pourquoi ? Elle est sotte ?

— Pas du tout. Elle a même été brillante, autrefois, quand nous étions étudiants.

— Étudiants en quoi ?

— J'ai raté le concours de Normale. Elle a réussi l'agrégation de lettres. Elle est professeur.

— C'est ce ratage qui vous a brisé les ailes, comme vous dites ?

— Entre autres, oui.

— Moi, dit Judith, je n'ai pas fait d'études et

je l'ai toujours regretté. J'ai dû travailler de bonne heure, ma mère était veuve.

— C'est une chance.

— D'être veuve ?

— Non... Enfin oui, quelquefois, mais je voulais dire : c'est une chance d'entrer dans la vie active de bonne heure au lieu de traîner derrière soi des années d'études qui ne servent à rien. On a de l'appétit pour les choses... Comment avez-vous choisi votre métier ?

— J'ai toujours aimé la photo. Quelqu'un m'a mis le pied à l'étrier.

— Quelqu'un qui était votre amant ?

— Oui.

— Et quand vous avez réussi, vous l'avez quitté...

— Oui.

— Vous avez eu beaucoup d'amants, Judith ?

— Non, pas beaucoup. Un nombre raisonnable.

— Des amours ? Des passades ?

— Un peu de tout. Je suis affreusement banale, comme vous.

— Et maintenant, vous êtes fidèle à votre mari ?

— À peu près. Quelquefois, rarement, j'ai un coup de cœur. Enfin, de cœur... Du feu, s'il vous plaît...

Il s'exécuta.

— Je n'aime pas ce que vous me racontez.

— Je vous ai peut-être menti.

— Pourquoi l'auriez-vous fait ?

— Parce que ma vie privée ne vous regarde pas.

— Oh, mais si ! Tout ce qui vous concerne me regarde. Et j'aime l'idée que vous m'avez menti, que vous êtes en réalité une jeune femme sage et chaste, fidèle à son mari. Qu'est-ce qu'il fait, ce mari ?

— Il est peintre.

— Peintre... Ça ne nourrit pas son homme.

— Non, mais je le nourris très bien. Et, par chance, quand nous nous retrouvons, nous avons beaucoup de choses à nous dire...

— Vous lui raconterez notre rencontre ?

— Je ne sais pas.

— Vous lui direz que je vous ai fait peur ?

— Vous ne me faites pas peur.

— Vous savez bien que si. Et vous avez peur de vous comme j'ai peur de moi...

Judith se leva brusquement.

— J'ai besoin de marcher un peu...

Elle fit deux ou trois aller et retour le long de la rangée de fauteuils, puis gagna sa place pour dire :

— Nous en avons encore pour sept heures, et je crois que nous allons dire des bêtises... Laissez-moi dormir un peu, voulez-vous ? Je suis rompue.

Il s'éloigna sans un mot.

Aussitôt, elle eut envie qu'il revienne, mais se garda de l'appeler.

Au vrai, elle se sentait en déroute, attirée plus que de raison par cet inconnu impérieux et mélancolique. Si elle avait pu, elle aurait pris la fuite, mais fuir où ? Dans cette cage gigantesque, elle était prisonnière. On lui avait dit qu'elle pouvait sortir en ville pour déjeuner, mais l'aéroport était loin de tout. À l'idée de se retrouver errant dans des rues inconnues sans pouvoir échanger trois mots avec un passant, elle s'effraya, se gourmanda.

Que risquait-elle pour être ainsi prise de panique ? Il n'allait pas la violer sur son fauteuil ! Un instant, elle imagina la scène, puis la chassa de son esprit. Elle se promit d'être plus distante. Mais, au bout d'une heure de demi-sommeil, elle n'y tint plus et fit à Antoine de grands signes pour qu'il la rejoignît.

— Je vous ai blessée, dit-il, pardonnez-moi.

— Si nous parlions d'autre chose ? répondit Judith.

— De quoi voulez-vous que je vous parle ? Je peux vous faire un exposé sur la monnaie unique. Ou encore sur l'égotisme chez Stendhal. Ou encore sur le bouddhisme. Je suis très bon sur le bouddhisme. Mais, étrangement, je n'ai envie de vous parler que de vous et de moi.

— Eh bien, parlez-moi de vous...

— Il était une fois un petit garçon à qui sa mère disait : « Tu feras l'École Normale comme Papa. » Papa était mort et il fallait l'égaler, mieux : le surpasser en sortant premier. J'en avais l'ambition, les moyens, mais je n'étais pas doué pour les concours. C'est spécial, la bête à concours. Comme je vous l'ai déjà dit, j'ai échoué. J'ai ressenti cet échec comme une profonde injustice. Pire, comme une humiliation. Toute ma jeune vie avait été tendue vers cet objectif. Je me suis retrouvé désemparé et j'ai décidé que j'allais devenir un aventurier. Un personnage de Malraux. J'avais passé mon enfance en Asie. J'y suis parti, laissant ma jeune femme seule à Paris avec un bébé dans le ventre. Mais elle a compris. Il faut lui rendre cette justice : elle comprend tout. Là, j'ai trempé dans tous les trafics, et même dans des bouts de révolution. J'ai pris de mauvais coups, je les ai rendus. Quand je suis rentré, deux ans plus tard, j'avais un magot.

« J'ai voulu faire des affaires. Je n'y connaissais rien. La France n'est pas l'Asie, n'y trafique pas qui veut. J'ai remporté quelques succès qui m'ont rendu vain et imprudent. J'ai tout perdu et je me suis retrouvé Gros-Jean comme devant, ma carrière d'aventurier aussi manquée que ma carrière de normalien.

« C'est alors qu'on m'a proposé d'entrer dans le secteur de l'import-export avec la Chine. J'ai accepté avec reconnaissance et j'y réussis convenablement.

« Entre-temps, ma femme a eu deux enfants. Je dis "ma femme" parce que je n'ai pas l'impression qu'ils sont à moi, ces enfants. Je n'ai avec eux que des relations polies – leur mère les élève bien – et superficielles. Je crois qu'ils ne m'aiment pas. Pourquoi m'aimeraient-ils ?

« Que vous dire de plus ? J'ai une bonne culture générale, je joue bien au bridge, je sais me tenir à table, je ne mets pas les doigts dans mon nez. Signe particulier : je m'ennuie.

Pendant qu'il parlait, il avait pris la main de Judith dans la sienne, une main fine à la paume sèche. Et ce contact la remua plus que ne l'aurait fait un baiser. Elle reprit sa main.

— Et les femmes ? Il y a eu des femmes dans votre vie ? De jolies Chinoises ?

— Quelques-unes. Rien qui ait vraiment compté. Sauf une petite Annamite qui vous ressemblait, avec des nattes noires. Je professe sur les femmes des théories que je me garderai de vous exposer. Elles vous feraient hurler.

— Qu'en savez-vous ?

— Votre pantalon, par exemple, me déplaît.

— Merci quand même.

— D'abord il cache vos jambes. Vous avez peut-être des jambes affreuses, il est vrai.

L'espace d'un instant, elle eut envie d'ôter son

jean pour exhiber ses jambes qui étaient longues et belles. Mais elle sut se retenir.

— C'est ma tenue de travail. Vous voudriez que je me promène en porte-jarretelles noir ?

— Je ne veux rien du tout. D'ailleurs, ça peut être excitant, le jean, sur un joli petit cul. Je ne suis pas sectaire. Mais je préfère les jupes plissées qui virevoltent.

— Un peu démodé, mon cher.

— Ou encore mieux, les tutus de danseuse... L'homme qui a inventé le tutu était un génie.

— Je vous l'accorde. Mais, pour voyager, ce n'est pas le rêve.

— Vous voyagez beaucoup ?

— Oui, beaucoup.

— Et vous traînez toujours des valises de plomb ?

— Plus ou moins, oui. Le matériel des photographes est lourd.

— Et vous croyez que c'est un métier de femme ?

— Non. C'est un métier tout court, que font des femmes.

— Si j'étais votre mari, je vous l'interdirais.

— Mais, grâce à Dieu, vous n'êtes pas mon mari.

— Laissez Dieu tranquille.

— Vous êtes croyant ?

— Non... Enfin, ça dépend des jours. Aujourd'hui, j'y crois. Je crois que le Ciel vous a envoyée à l'aéroport de Pékin où j'allais périr de détresse... Aurions-nous pu nous rencontrer et nous reconnaître autre part ?

— À la sortie de la messe, par exemple !

— Vous vous moquez de moi et vous avez raison. Je suis en train de retomber en enfance, ou plutôt en jeunesse... Tout à coup, la vie a repris des couleurs parce que vous êtes près de moi, parce que je sens votre odeur de bébé, parce que je peux tenir votre main entre les miennes comme un oiseau. Elles sont ridicules, vos mains... Si petites !

Il déposa doucement un baiser dans le creux d'une de ses mains. Elle eut un frisson et se fâcha.

— Vous devenez familier, monsieur Lemarre.

— Non, je suis attendri. Attendri par toute votre personne que je sens crispée comme si vous aviez quelque chose à redouter de moi. Rendez-moi votre main, s'il vous plaît, je vais lire dedans tout ce que vous me cachez...

Elle ferma le poing.

— Vous savez déchiffrer les lignes de la main ?

— Un peu. Une sorcière me l'a enseigné. Donnez...

Elle rouvrit la main. Il l'étudia attentivement.

— Enfance triste... Mère tendre mais oppressive, que vous avez fuie. Dons artistiques évidents et bien exploités... Un grand courage physique... Vous n'avez peur de rien... Une méchante maladie vers quinze ans, probablement les poumons, mais il n'en reste rien... Vous aurez vers cinquante ans un grave accident qui pourrait être mortel... Un amour de jeunesse vers dix-sept ans pour un homme plus âgé que vous. Ça a mal tourné... À part ça, vie amoureuse sans éclat. Des aventures sans conséquence... Esprit pratique développé, qui compense une sensibilité très vive et une tendance à la rêverie... contre laquelle vous ne cessez de lutter. Vous vous interdisez le rêve comme on s'interdit le péché... Indifférente à l'argent, mais vous en gagnerez toujours assez... Un mari qu'un jour vous quitterez, un enfant auquel vous êtes très liée... Ah, j'oubliais : vous êtes gourmande et attachée aux choses de la vie. Alors, c'est bien vu ?

Judith regarda l'entrelacs des lignes de sa main.

— Vous m'épatez, dit-elle. Comment est-ce possible ?

— C'est une vieille science, vous savez. À condition de ne pas vouloir lui faire dire plus qu'elle n'en sait, elle est assez sûre. Quoi d'étonnant à ce que notre main soit notre reflet ?

— Ce portrait que vous avez tracé de moi, je ne suis pas sûre qu'il soit très sympathique.

— Qu'auriez-vous aimé entendre ?

— Je ne sais pas... À dix ans, je rêvais d'être pompier à cause du feu qui me fascinait. Et puis, j'ai voulu être aventurière, sans savoir au juste ce que cela voulait dire... C'est le mot qui me plaisait.

— Et puis, l'esprit pratique l'a emporté sur le rêve : c'est bien ce que je vous disais. Vous retombez toujours sur vos pattes, comme les chats.

— Ce n'est pas très romantique. J'aurais aimé être une grande héroïne romantique, capable de vivre une grande passion...

— Si cela vous arrive, vous prendrez la fuite. À moins que...

— À moins que ?

— À moins que vous n'écoutiez la voix qui vous dira : « Rien ne vaut une passion. Assez de cette petite vie ordinaire que n'éclaire aucune flamme... Et tant pis si tu te brûles ! »

— Mais on ne décide pas de vivre une passion !

— Non. On ne décide pas. Ça vous tombe dessus comme un orage d'été. N'importe où. Dans un aéroport, par exemple. Vous connaissez le poème de Baudelaire, *À une passante* ? « La rue assourdissante autour de moi hurlait... Ô toi que j'eusse aimée, ô toi qui le savais... »

— Vous êtes en train de me dire que...

Elle s'arrêta, comme effrayée par les mots qui lui venaient aux lèvres.

— Que... ?

— Que je pourrais être l'objet d'une... passion ?

— Je croyais vous l'avoir fait entendre.

— Et si je dis : « Non, je ne joue pas » ?

— Ne craignez rien. Je ne me suiciderai pas à vos pieds. Je retournerai dans mon fauteuil et vous laisserai méditer sur les curiosités de la vie qui nous ont mis en présence.

Il se leva.

— Non, ne me laissez pas... Pas tout de suite !

— Enfin un bon mouvement ! Dites-moi, Judith...

— Oui ?

— Si je vous embrassais, est-ce que vous hurleriez ?

— Essayez.

Il prit le visage de Judith entre ses deux mains et, doucement, délicatement, l'embrassa sur les lèvres. Quelque chose en elle fut bouleversé, qu'elle ne parvint pas à maîtriser.

Tout à coup, le désir qui rôdait depuis cinq heures était là, impérieux, sauvage. Et ils tremblaient.

— Qu'est-ce que nous sommes en train de faire ? murmura Judith.

— Nous avons bu le philtre, répondit-il. Maintenant, vous ne m'échapperez plus.

— Je ne veux pas vous échapper. Embrassez-moi encore, s'il vous plaît. Et encore...

Tout à coup, il y eut une vague animation dans le hall de l'aéroport. Ils se ressaisirent.

Elle lui tendit une cigarette. Il l'alluma.

— Qu'est-ce que vous ferez en rentrant à Paris ?

— Je vais prendre quelques vacances.

— Bravo ! Je vous emmène en Bretagne. J'aime les mers grises en hiver, et vous ?

— Moi aussi. Mais je ne sais pas si...

— Objection refusée, Votre Honneur. Nous partons ensemble. Nous commençons une nouvelle vie, nous balayons l'ancienne. J'ai l'impression de renaître, Judith. Vous m'avez fait renaître... de mes cendres !

— Je dois tout de même un peu de considération à mon mari !

— Et moi à ma femme. Mais la question n'est pas là. Nous serons polis. Je vous ai trouvée, je vous garde et vous garderai jusqu'à la fin des temps. Mais vous, ma belle héroïne romantique, saurez-vous reconnaître votre destin ?

— J'en ai tellement envie... Vivre avec vous jusqu'à la fin des temps ne me ferait pas peur. Je sais déjà que nous ne nous ennuierions jamais ensemble. Il y a en vous une folie qui me sortirait enfin de moi-même, de ce quelque chose d'incolore à quoi se réduit ma vie. J'aime tant votre folie ! Mais...

— Mais quoi ?

— Rien. Vous avez raison : partons en Bretagne. Partons au bout du monde. Embrassez-moi... On nous regarde ? Ça m'est égal. On croira que nous nous disons adieu...

Le comptoir d'Air France avait rouvert. Quelques voyageurs s'y dirigeaient. Judith Stein et Antoine Lemarre échangèrent un dernier baiser, puis s'en furent prendre place parmi la file d'attente afin de se faire enregistrer. Ils se tenaient par la main. Un employé vint emporter les valises.

Une heure les séparait encore de l'embarquement.

— Racontez-moi la Bretagne, dit Judith. Je connais le monde entier, mais pas la Bretagne...

— Vous avez lu Chateaubriand ? Non ? Mais vous n'avez rien lu, jeune dame !

— Pas grand-chose, je l'avoue. Je ne suis pas une intellectuelle, vous savez...

— Alors, je vais faire votre éducation. Vous voulez bien ?

— J'adorerais.

— Mais je ne veux pas vous ennuyer.

— Vous ne pouvez pas m'ennuyer. Oh, Antoine, je suis si heureuse... J'ai l'impression d'avoir rencontré le Père Noël... avec une hotte de cadeaux. Est-ce que vous savez des poèmes ?

— Quelques-uns, oui.

— Vous m'en apprendrez. Quand j'étais petite, je me chantais *Au clair de la lune*, mais ma culture poétique est un peu courte, comme vous voyez...

Elle rit.

— Embrassez-moi encore, s'il vous plaît. Je m'ennuie de vos lèvres...

Le moment vint d'embarquer.

Dans l'avion où ils allaient passer vingt heures avant d'atteindre Paris, ils restèrent main dans la main, dînèrent vaguement de ces nourritures bizarres qu'on vous sert en l'air. Quand la lumière s'éteignit, ils chuchotèrent longtemps, puis s'assoupirent.

Se réveillèrent quand l'avion entama sa descente sur Roissy.

Judith avait dormi sur l'épaule d'Antoine. Elle redressa son siège, renoua sa queue de cheval, boutonna son jean. Elle passa la main sur la joue râpeuse d'Antoine. Il lui sourit. Elle pensa qu'il avait un beau sourire, de belles dents dans sa tête de loup.

L'appareil atterrit en douceur.

Devant le tapis roulant qui dégueulait les bagages, il l'aida à mettre ses valises sur un chariot et saisit son sac.

Judith dit d'une petite voix étranglée par les larmes :

— Je crois que je n'irai pas avec vous en Bretagne. Pas tout de suite...

Le visage d'Antoine se crispa.

— Alors ce sera jamais, Judith. Vous le savez.

Elle baissa la tête.

— Je ne peux pas. C'est trop difficile. D'ailleurs, mon mari m'attend. Je l'aperçois. Mais...

— Mais rien. Vous m'avez fait rêver. Je continuerai...

Il griffonna quelques mots sur le coin d'un journal, le glissa dans la poche de Judith, saisit son sac sur le tapis roulant et disparut.

Elle lut : « Je vous attendrai demain à 5 heures chez Angelina, rue de Rivoli. Emportez des chandails, des bottes et un imperméable. »

Un voyageur la bouscula. Elle dirigea son chariot vers la douane. Par la vitre, elle héla son mari qui l'attendait. Cher Janos, toujours là quand elle avait besoin de lui...

Les douaniers la persécutèrent, comme souvent quand on voyage avec du matériel photo : soupçonneux, réclamant des papiers, encore des papiers. Enfin elle fut libre et se jeta contre la poitrine de Janos comme sur une bouée de sauvetage, tremblante, les larmes aux yeux.

— Eh bien, ma vieille, qu'est-ce qui se passe ? s'enquit Janos. Le voyage a été dur ? Tu as été secouée ?

Il lui caressa la tête, doucement, et l'entraîna vers le parking. Elle refoula ses larmes.

Enfin Judith est chez elle, dans ses terres, avec ses sons familiers, ses odeurs de bonne cuisine mijotée, son désordre de journaux éparpillés, le grand nu au mur peint par Janos – c'est elle dans la pose d'Olympia, avec son chat noir Isidore.

Elle laisse Janos la déshabiller, entre dans un bain chaud. Décide d'évacuer jusqu'au souvenir de cet Antoine Lemarre, entré par effraction dans son univers. Elle avale un somnifère et tombe comme une masse.

Quand elle se réveille, elle a repris la maîtrise d'elle-même.

Judith Stein est ce qu'on appelle une femme équilibrée. Dans ses vingt ans, elle s'est souvent demandé qui elle était et pour quoi faire, jusqu'à ce qu'un métier entrepris par hasard lui donne progressivement le sentiment de s'y accomplir. Quelqu'un l'a baptisée la « voleuse d'âmes » parce que de ses portraits émane une lumière mystérieuse, comme une confidence faite à l'objectif, un « plus » que ses confrères n'ont jamais réussi à capter.

Mais le portrait n'est qu'un aspect de son travail. C'est un drôle de métier, photographe attaché à une agence. On vous met – ou on se met – « sur un coup » en relation avec l'actualité ; parfois il faut des jours pour obtenir visas, accréditation, agrément ; à peine a-t-on fini avec un sujet qu'on doit bondir à San Francisco, au

Maroc, à Saint-Pétersbourg sur un autre « coup » ou sur un site de guerre, en traînant partout avec soi trente kilos de matériel. Tous les photographes ont les reins brisés à quarante ans et le sommeil gâté par le décalage horaire. Mais, quelquefois, on rapporte LA photo, celle qui fera le tour du monde ; on fixe un visage, un instant, un geste unique, et c'est le grand bonheur...

Judith aime fonctionner sous tension, sur le qui-vive. Le succès professionnel offre d'estimables satisfactions à son ego ; le rythme de son existence lui laisse peu de loisirs pour chercher des substituts au Dieu de son enfance et pour s'interroger, comme ses contemporains, sur le sens de la vie. Elle se contente d'en apprécier vivement les plaisirs les plus simples, quand ils se présentent. Cet équilibre se lit sur son visage. C'est une partie de son charme.

Elle a épousé Janos Maktar, un réfugié de l'Est, pour qu'il puisse acquérir la nationalité française. Elle l'aime bien. Elle aime sa peinture, reflet hurlant d'un univers intérieur chaotique. Il est un peu son enfant, ce grand gaillard aux yeux candides, taillé en athlète. Quand il a un peu trop bu, il dit à Judith : « Je pourrais t'étrangler d'une seule main... » Mais ils s'entendent bien. De temps en temps, quand Janos a vendu une toile, ils font une petite fête avec tous les copains. Ah, des copains, ils en ont tous les deux, réfugiés comme Janos, paumés en tout genre, qui ont chez eux maison ouverte : on ne laisse jamais tomber un copain.

Dès ses vingt-cinq ans, Judith n'a plus attendu d'un homme qu'il la mène au septième ciel, qui est pour elle une invention de poètes. Elle n'espère rien de tel de Janos : seulement la chaude tendresse qu'il lui donne. Quelquefois, furtivement, elle se demande si elle n'est pas infirme de ce côté-là, si elle n'est pas interdite de plaisir comme on est interdit de séjour. Bof, c'est peut-être un privilège, une liberté...

Bref, Judith Stein ne se plaint pas de sa vie.

Donc, ce matin-là, après avoir vidé ses valises, transmis ses films de Chine à l'Agence, déblayé son courrier, téléphoné à sa mère, toujours inquiète de la savoir par monts et par vaux, vérifié la suite de ses engagements – le visa pour la Russie n'était pas arrivé, mais il y aurait quelque chose à faire à Paris en attendant –, elle s'habille. Met la main dans la poche de son blouson. Y trouve le bout de papier, celui où Antoine a écrit : « Je vous attendrai demain à 5 heures chez Angelina... »

Demain, c'est aujourd'hui. Le sang lui monte au visage. Elle déchire le papier, le réduit en miettes comme pour faire qu'il n'ait jamais existé.

Antoine... Elle croyait bien l'avoir expulsé, celui-là. Cependant, expulsé de sa mémoire, voici qu'il est là, avec ses yeux de loup, sa bouche dans sa bouche, les mains sur ses seins. Elle en est saisie comme s'il avait fait irruption dans la pièce.

Ce matin-là, Antoine avait réglé quelques affaires depuis son hôtel, loué une grosse voiture, retenu deux chambres au Grand Hôtel de Saint-Malo, puis il était passé chez lui, un vieil appartement du Ve arrondissement où sa femme habitait seule, les enfants, devenus grands, l'ayant déserté.

Elle l'avait reçu comme toujours avec l'indifférence courtoise qu'elle avait fini par acquérir à l'égard de ce mari volatil, et ce regard triste qu'il ne supportait plus. Il s'enquit de sa santé, des études des enfants qui marchaient très fort (« Normale ? Oui, pourquoi pas ?... Ils en sont capables, tous les deux ! »), de l'état de la France. Il changea de chemise, réclama un cachemire beige qu'il avait dû oublier la dernière fois, signa un gros chèque et dit qu'il comptait repartir dès le lendemain pour un temps indéterminé. Il donnerait de ses nouvelles.

La société qui employait les talents d'Antoine était en effervescence. Les résultats annuels s'avéraient excellents, mais on s'inquiétait fort des conséquences de la crise asiatique pour les exportateurs-importateurs. Antoine donna son appréciation de la situation. Il connaissait bien non seulement la Chine, mais le continent tout entier. On l'écouta religieusement parler de taux d'intérêt, de dévaluation, de cours du dollar et d'interactions entre les économies mondiales.

Quant à lui, il avait fait une année superbe. Son compte était gonflé d'autant. Il prévint qu'il allait prendre du recul pendant trois ou quatre semaines, puis qu'il reviendrait afin d'examiner les perspectives d'activité pour l'année à venir.

En sortant, il se retrouva près d'un magasin Cartier. Il entra, choisit avec soin une gourmette et l'emporta.

À cette heure, Antoine ne doute pas que Judith Stein sera au rendez-vous chez Angelina. Il ne peut même pas imaginer qu'elle lui échappe. Ce serait comme si on lui annonçait sa propre mort.

Il a connu Judith au moment précis où il ne pouvait plus attendre que d'une femme le désir de vivre. L'échec de ses rêves, la tournure mercantile de son existence, une sorte d'impuissance à aimer l'avaient précipité de femme en femme, et toutes avaient été comme des pansements sur son orgueil blessé. Chaque nouvelle conquête apaisait un temps sa plaie, jusqu'à ce qu'elle le tenaille à nouveau.

Quelquefois, il pensait : « J'aurai fait carrière dans la séduction, pauvre idiot ! » Mais, avec les années, il y trouvait moins de secours. Les femmes avaient changé : trop promptes à se coucher, trop faciles, trop cyniques, délivrées du péché. Où étaient le cérémonial de la conquête, les citadelles à investir, les défenses à faire tomber, tout ce qui l'avait si souvent détourné de se prendre en grippe ?

Maintenant il lui faut Judith. Adorable Judith, romantique sous ses habits de garçon, effrayée d'elle-même, naïve... Il va l'enlever sur son cheval blanc, mettre un peu de folie dans cette jolie tête trop sage, lui donner trois semaines de bonheur d'être aimée, la faire naître à elle-même dans le désordre de la passion... Il lui faut Judith !

Quand une femme troublée ne sait plus quoi faire d'elle, elle va chez le coiffeur. D'ailleurs, Judith en a besoin. Sans rendez-vous, elle doit attendre et, pour prendre patience, feuillette de vieux magazines. Mais elle ne parvient pas à lire. L'image d'Antoine s'interpose entre les pages. Quelle audace, ce rendez-vous, mieux : cette convocation... Cet « Emportez des chandails et des bottes », comme si son départ était acquis... Pour qui la prend-il, cet exportateur chinois ? Elle étouffe d'indignation, et, dans son désordre intime, récapitule ces heures passées à l'aéroport. Certes, elle a été imprudente, légère, séduite par son discours, trahie par ses propres mots qui lui étaient venus d'on ne sait où.. Elle se souvient d'une sorte de griserie comme on en doit parfois au champagne, qui lui était montée à la tête, d'un ébranlement physique, aussi, comme s'il lui avait lancé un sort...

Le babillage de la coiffeuse ne réussit pas à la divertir de lui.

À 3 heures, elle décide qu'elle ne veut plus entendre parler d'Antoine et se dirige vers un cinéma. La salle est à moitié vide ; le film ne réussit pas à capter son attention au-delà d'un quart d'heure.

À 4 heures, elle se dit que si Antoine ne la trouve pas au rendez-vous, il est capable de faire irruption chez elle, de la poursuivre. N'est-il pas capable de tout ?

À 5 heures, elle entre dans la pâtisserie très fréquentée de la rue de Rivoli. Quand elle aperçoit Antoine, plongé dans le *Herald Tribune*, son cœur se met à battre avec une violence qui l'effraie. Il se lève pour l'accueillir, lui prend la main pour l'embrasser, l'engage à s'asseoir. Dans son trouble, elle fait tomber sa chaise.

— Prenez un gâteau, dit Antoine ; ils sont aux marrons, délicieux.

Il lui en glisse un entre les lèvres.

— Vous avez de jolies dents, des dents de bébé.

— Je... Je suis venue pour vous dire que je ne partirai pas avec vous en Bretagne, ni ce soir, ni jamais, dit Judith.

Il se tait un instant, puis :

— Puis-je savoir pourquoi ?

— Parce que. Parce qu'il n'y a pas de place pour vous dans ma vie en dehors de l'aéroport de Pékin.

— Retournons à Pékin ! Où est votre valise ? Il y a un vol en fin de journée.

— Vous dites des bêtises.

— Oui.

Il lui caresse la joue.

— Vous regretterez toute votre vie ces jours que nous devions passer ensemble. De quoi vous punissez-vous ? Le bonheur est si rare...

— Je sais. Mais je ne peux pas construire du bonheur sur le malheur d'un autre. Mon mari a besoin de moi.

— Il vous retrouvera... quand vous serez lasse de moi.

— Et vous de moi ?

— Peut-être. Qui sait ? Mais cette faim que j'ai de vous, je ne la vois pas finir. Partons, Judith ! Ne faisons pas de projets. Seulement celui d'ouvrir une parenthèse enchantée dans le gris de la vie, d'accueillir une passion qui est en nous, vous le savez bien, sinon vous ne seriez pas là...

— Ce serait une folie, murmure Judith. Je ne veux pas !

— Une folie, c'est ce qui vous manque pour être vraiment belle, dit-il en passant doucement le doigt sur ses lèvres. À Pékin, vous aviez sur vous de la lumière... Je veux vous la rendre.

Sa voix, son odeur, son discours, sa main qui la caresse légèrement : les défenses de Judith commencent à s'effondrer une à une.

— Si nous nous quittons maintenant, poursuit Antoine, nous ne nous reverrons jamais, vous le savez.

— Pourquoi ? dit faiblement Judith. Nous pouvons nous revoir à Paris...

— Chambre d'hôtel... Petit adultère médiocre ?... Ce n'est pas cela que j'ai rêvé pour vous. Non, Judith, allez-vous-en, puisque vous ne voulez pas m'entendre. Rentrez à la niche petite-bourgeoise, frileuse, et pardonnez-moi de vous avoir prise pour quelqu'un d'autre !

Il jette des billets sur la table, se lève et se dirige vers la porte.

Elle crie « Antoine ! » si fort que des têtes se tournent. Mais il a disparu.

Il marche vivement dans la rue de Rivoli, sous les arcades qui le protègent de la pluie, tout en pensant : « Cette fois, je l'ai ferrée... » Puis il se reproche une vulgarité dont il n'est pas coutumier. Mais il souffre.

Judith est restée interloquée, choquée par sa dernière sortie. « Et quand je serais une petite-bourgeoise frileuse, se dit-elle, où serait le mal ?

D'abord, c'est faux. J'ai bien des reproches à me faire, mais pas celui-là ! Je n'ai jamais eu peur du danger. Peur d'une passion, oui, peut-être. Je ne veux pas saboter ma vie, je ne veux pas... Il est parti, bon débarras ! Ce qu'il faut maintenant, c'est que je réussisse à me l'ôter de la tête. »

Elle demande un whisky et l'avale d'un trait. On se soigne comme on peut. L'alcool lui procure une certaine euphorie. Elle sort, en quête d'un taxi, et rentre chez elle, trempée mais d'une relative bonne humeur.

Le lendemain, elle a une rude journée : une séance de portraits avec une comédienne assurée de savoir mieux que personne comment il faut l'éclairer depuis que ses lèvres ont été gonflées, selon la mode, au collagène, censé leur redonner une expression délicieusement sensuelle. Elles sont quelques-unes comme cela... Judith connaît l'espèce !

Elle commence par se soumettre à ses exigences : tout sur la face, un léger contre-jour, un diffuseur ici, un autre là... Ce qu'elle fait est mauvais et elle le sait. Ce n'est pas ainsi qu'elle volera son âme...

Après deux heures de travail, elle dit :

— Maintenant, je veux une photo pour moi, avec mes propres réglages. Je vous l'enverrai. Si elle ne vous plaît pas, on la déchirera.

L'autre se soumet de mauvaise grâce. Judith

déplace les projecteurs, prie la maquilleuse de rectifier les ombres du visage, de souligner le fard des cils, d'alléger celui des lèvres...

— Regardez l'objectif, dit Judith en déclenchant son appareil. Je veux votre regard... Vous êtes en colère... Dites-le-moi avec vos yeux... Encore ! Très bien... Non, je ne veux pas de sourire...

Subjuguée, l'autre lui décoche un regard noir. Judith déroule son film et dit :

— Voilà, j'ai fini de vous martyriser.

Plus tard, cette photo ornera la couverture d'un grand magazine. Ce sera l'une des meilleures jamais prises de la belle vedette.

Ce jour-là, Judith rentre chez elle exténuée, pour y trouver Janos avec quatre copains occupés à faire un poker. Ils ont beaucoup bu et fumé.

— On a livré quelque chose pour toi, dit-il. Un petit paquet. Je l'ai mis dans la chambre.

Judith ouvre le paquet. C'est un écrin rouge contenant une gourmette, accompagnée d'un mot écrit sur le papier à en-tête de l'hôtel Montana :

« Pardon, Antoine. »

Elle s'effondre sur le lit.

Depuis le matin, elle a réussi à ne plus penser à lui et voici qu'à nouveau la machine infernale se met en marche... Un instant, elle pense consulter un analyste. On doit pouvoir se délivrer d'une obsession !

Elle vient observer un instant la partie en cours.

— Qu'est-ce que c'était, le paquet ? s'enquiert Janos.

Elle montre la gourmette qu'elle tient à la main.

— Un cadeau de quelqu'un qui me poursuit de ses assiduités.

— Il fait bien les choses, dit un joueur.

— Et toi, lui dit Janos, qu'est-ce que tu en fais, de ses assiduités ?

— Je m'en fous, s'exclame Judith avec violence, je m'en fous ! Je vais lui renvoyer sa gourmette à la figure...

— Tu aurais bien tort, dit Janos. Elle est superbe, cette gourmette. On pourra toujours la mettre au clou, un jour de dèche.

Il éclate de rire et abat ses cartes.

— Tu nous fais des spaghettis ? J'ai apporté du fromage et du jambon.

Elle réintègre sa chambre, agacée. Elle vit une passion et on lui demande des spaghettis. L'envie de revoir Antoine l'envahit à nouveau. Après tout, où serait le drame si elle avait une aventure avec lui ? Pas ce voyage fou en Bretagne, mais quelques brèves rencontres, le temps de se désintoxiquer ?... Sa fidélité à Janos ne repose par sur un serment, mais sur son indifférence aux autres hommes...

Elle appelle l'hôtel Montana. Antoine est sorti. Elle laisse son nom, un mot : « Merci », et son numéro à l'Agence.

Antoine trouve le message vers 11 heures. Il rentre d'un dîner avec son fils et sa fille, qui l'a déprimé. Entre eux et lui, il y a l'abîme des années où il a si souvent été absent. Des relations affectueuses sont impossibles. Ils affichent une indifférence polie, teintée d'hostilité. Antoine s'est pourtant employé à les charmer. Pour la première fois, il leur a raconté un peu de sa vie d'aventurier, du désir fou qu'il avait eu d'être Malraux, mais sans la plume, de l'amertume que lui avait laissée son échec à Normale Sup. Ils se sont tus, fascinés malgré eux par cet inconnu qui était leur père, mais raidis dans une distance qu'ils n'ont pas su réduire...

L'appel de Judith le réconforte. Il n'a pas perdu la main. « Maintenant, il va falloir jouer serré », pense-t-il tout en ayant horreur de cette pensée. Ce n'est pas un jeu, c'est beaucoup plus grave, il ne sait trop comment appeler le sentiment que lui inspire Judith : du désir, certes, mais autre chose, aussi, une furieuse envie d'être à la hauteur de ce qu'il croit avoir semé en elle – le rêve réalisé d'une passion, dût-elle s'y briser.

Il attend quarante-huit heures avant de la rappeler, le temps qu'elle s'inquiète de son silence, qu'elle se morde les lèvres de l'avoir perdu par ses petites manières. Le temps que ses résistances s'usent.

Elles sont usées. Mais pas comme il l'a prévu. Au téléphone, elle demande :

— Où êtes-vous ?

— Dans ma chambre, au Montana.

— Je viens.

Elle tremble un peu en arrivant ; ses lèvres sont glacées. Elle dit :

— Je veux faire l'amour avec vous. Sinon, j'en mourrai.

Soudain, il n'a plus envie d'elle. C'est trop facile, banal, vulgaire même. Rien de la biche apprivoisée, de la femme égarée conduite au bout d'elle-même, de l'ivresse romantique dont elle a prétendu rêver.

Il est furieux, dépité, immobile au bord du lit où elle s'est étendue, ses longs cheveux noirs épars.

— Rhabillez-vous, dit-il. Je ne veux pas de vous comme ça, à la sauvette, parce que vous avez chaud aux fesses. Cela vous arrive souvent ?

Judith bondit, offensée jusqu'à l'os, et le gifle. Il se jette sur elle, elle se débat, il l'immobilise. Et ils font enfin connaissance l'un de l'autre dans leur chair.

Elle était crispée, il était irrité, ce ne fut pas fameux. Ils se relevèrent sans échanger trois mots, Judith honteuse d'elle-même (elle s'était fait des idées !), Antoine mécontent de lui (il l'avait prise comme une fille de joie, lui, l'artiste !). Ses cheveux à peine renoués, elle ressortit en claquant la porte.

Antoine prit dans le bar une fiasque d'alcool, alluma la télévision et s'allongea sur le lit.

On frappa à la porte. Il eut comme un éblouissement : c'était elle, ce ne pouvait qu'être elle ! Il ouvrit. Judith s'encadra dans la porte. D'un geste violent, elle lui jeta sa gourmette à la face :

— Vous la donnerez à la suivante, dit-elle, suave.

Et elle disparut en faisant claquer ses talons.

Judith Stein et Antoine Lemarre ne se sont jamais revus. On dit qu'il a beaucoup vieilli.

« COMME ELLE EST BELLE !... »

Diane était allongée, livide, les yeux clos, les mains crispées sur le rabat des draps rêches, le cou dans une minerve, un bras plâtré. Perçant la fenêtre, le soleil d'automne la léchait. Elle ne voulait pas qu'on fermât les volets.

Assise à son chevet, Mathilde attendait depuis soixante-dix ans la mort de sa sœur, pour respirer. Mais, maintenant que cette mort la menaçait, quelque chose en elle s'affolait : n'en était-elle pas coupable pour l'avoir trop souvent souhaitée ? Dieu lit dans les cœurs. Elle balbutia une prière :

— Faites qu'elle ne souffre pas...

L'infirmière entra, tamponna doucement le visage de Diane, perlé de sueur, redressa son oreiller et dit à Mathilde :

— Regardez comme elle est belle, encore, malgré cette épreuve...

Mathilde se crispa. Combien de fois avait-elle dû entendre que Diane était belle ?

La première fois, elle avait six ans et venait de perdre une deuxième dent de lait. Diane avait cinq ans. Ce jour-là, les Germain-Laffite célébraient Noël à la campagne autour d'un sapin immense, couvert de guirlandes et de bougies, sous lequel s'entassaient les cadeaux. Une ribambelle d'enfants couraient en tout sens. M. Germain mit un disque sur le gramophone pour les faire danser. Quelques-uns se formèrent en farandole, entraînant les plus timides à travers la maison. Mathilde, agrippée aux jupes de sa mère, se déroba... Soudain, Diane, avec une assurance superbe, se mit à danser seule au milieu du salon.

— Regarde, dit la mère à Mathilde. Va danser, toi aussi.

Mais la petite se renfrogna : est-ce qu'on s'exhibe quand il vous manque deux dents au milieu du visage ?

Diane continuait avec tant de grâce que son père, ému, s'écria : « Comme elle est belle, ma fille ! », et, le disque achevé, la hissa sur ses épaules.

Des enfants eurent l'idée d'applaudir, les autres les imitèrent. Diane, souveraine, accepta les hommages, juchée sur son père.

Ce souvenir-là, se dit Mathilde, ma mémoire ne l'a jamais effacé. Non seulement Diane était devenue ma concurrente dans l'amour de mes parents, mais notre père la préférait. Du moins l'ai-je pensé. Il me l'a donné à penser. Je sais que c'est injuste. Que je n'ai jamais été une petite fille mal aimée. Que Diane n'a jamais été gâtée plus que moi. Mais, j'avais un visage ingrat, des membres trop longs qui m'encombraient, j'étais gauche.

Cette petite scène fut suivie de beaucoup d'autres. Diane était populaire en classe où je n'étais que bonne élève, mais brouillée avec l'orthographe. Dans les surprises-parties qui étaient alors à la mode, où Diane me traînait, elle était entourée par les garçons qui me dédaignaient parce que j'étais maussade.

Ma mère nous avait toujours habillées pareil, cela se faisait beaucoup autrefois, mais Diane avait du chic, je n'en avais pas ! j'ai toujours voûté mes épaules, comme si elles supportaient un poids, celui de mon insignifiance. Je n'étais plus laide, plus du tout, mais je le croyais, j'avais des attitudes de laide. Cela tient à si peu de chose, plaire ou ne pas plaire...

J'étais plus grande que Diane, toute menue ; trop grande, je tenais de mon père. Le jour de notre première communion, que nous avons faite ensemble, les gamins, en me voyant passer dans ma robe blanche, avaient crié : « Vive la mariée ! » J'étais au supplice.

Dans son lit, Diane gémit doucement.

Mathilde s'approcha.

— Tu veux quelque chose ?

— J'ai soif, dit Diane. Je veux du champagne...

— Du champagne ? Tu es folle !

— Tu le sais bien...

Désemparée, Mathilde appela l'infirmière.

— Donnez-lui ce qu'elle veut, chuchota celle-ci. Rien ne peut plus lui faire de mal.

Mathilde s'en fut quérir du champagne chez Diane où une servante pleurait déjà sa patronne.

— Je tiens toujours une bouteille au frais, dit-elle. La pauvre Madame l'aime glacé. C'est bon signe qu'elle en demande, non ?

— Je ne sais pas, fit Mathilde. Peut-être.

Elle rejoignit la clinique, reprit sa place et renoua le fil de ses pensées.

Diane ne peut rien faire comme tout le monde, pas même mourir... Cette manie qu'elle a de se distinguer ! Je l'ai toujours connue comme cela. Originale, disait-on. Diane est originale. À dix-huit ans, elle s'est amourachée d'un Italien de quarante ans que nous avions rencontré à Florence. Mon père nous avait envoyées en Italie pour que nous fassions notre éducation artistique. Ah, nous l'avons faite ! Il était intarissable, l'Italien ! Il me répétait tout le temps : « Diane est si belle, si blonde ! Je voudrais lui donner tous les trésors que nous voyons ! » J'avais envie de l'étrangler. Il nous a suivies à Paris où Diane l'a présenté à nos parents en disant : « Je veux l'épouser... » L'Italien a dû confesser, penaud, qu'il était marié. C'est la première et la seule fois où j'ai vu mon père, hors de lui, tancer Diane. L'Italien a été obligé de rentrer chez lui. Il était antifasciste. Nous avons su plus tard qu'il a été emprisonné pendant toute la durée de la guerre. Ce fut le premier amant de Diane. Je ne sais comment ils se sont débrouillés, mais j'en suis sûre, car, à plusieurs reprises, j'ai dû tenir le chandelier quand mon père s'étonnait de ses absences... La petite garce !

Quand elle s'est mariée, avec un jeune et brillant médecin, le fils d'un ami de la famille, mes parents ont donné une grande fête. C'était l'apothéose de Diane, radieuse. J'ai eu peur de devenir vieille fille. J'avais un an de plus qu'elle. J'ai pris le premier mari qui se présentait. Mais la guerre avait éclaté. Il n'y a pas eu de fête.

L'infirmière est venue faire une piqûre à Diane. Elle cherche une veine, place un garrot, enfonce l'aiguille dans la saignée du bras. Diane lui sourit pour la remercier. Elle a un si beau sourire que l'infirmière en est touchée. On dirait que Diane a repris quelques forces. Et, en effet, elle appelle Mathilde :

— Approche-toi... Tu te souviens de mon mariage ?

— Lequel ?

— Le premier... Tu te souviens de Blaise, mon mari ? Je voudrais bien le revoir...

— Mais il est mort, Diane !

— Blaise est mort ? J'embrouille tout dans ma tête. Je croyais que c'était Édouard...

— Édouard aussi est mort. Tu as tué tous tes maris.

— Pourquoi dis-tu ça ? Je les ai aimés. Je...

Mais elle est épuisée.

Pourquoi suis-je méchante ? se dit Mathilde. Pourquoi, même dans cet état, ne puis-je lui parler sans aigreur ? J'ai honte. Mais c'est que jamais le poids qu'elle a fait peser sur moi ne s'est allégé. Pas même ces dernières années où nous avons vécu ensemble...

Les premiers temps de mon mariage, je l'ai peu vue. Nous habitions chacune de notre côté avec nos époux respectifs qui n'avaient pas une folle sympathie l'un pour l'autre. Blaise était snob, et Jules, mon mari, sans surface. Il enseignait les lettres dans une école privée. Mais c'était un brave homme, cultivé, dont j'ai toujours fait ce que j'ai voulu. Diane le trouvait « transparent ». Mais je dois reconnaître qu'elle était gentille avec lui. Elle n'oubliait même jamais son anniversaire, ni son cadeau de Jour de l'An. Le tout, trop luxueux. Je ne pouvais lui rendre la pareille.

Diane prétendait qu'elle était fière de moi

parce que je faisais l'école du Louvre, dans l'espoir d'appartenir un jour au corps des conservateurs, alors qu'elle-même avait renoncé aux études supérieures. Mais je trouvais cette soi-disant fierté bien hypocrite. Pendant la guerre, Diane et son jeune mari s'étaient montrés héroïques dans les rangs de la Résistance. Je ne l'ai appris qu'après, non sans regretter qu'elle n'ait pas songé alors à m'enrôler. Un jour, je le lui ai timidement reproché. Elle m'a répondu que son mari m'avait trouvée trop bavarde pour me mêler à des actions clandestines. Je ne suis pas bavarde ; je ne parle jamais trop, sauf quand j'ai peur. Si Blaise m'a tenue à l'écart, c'est parce qu'il ne m'aimait pas.

C'eût pourtant été l'occasion de faire mes preuves, alors que le destin ne m'en a jamais donné le loisir... Car l'école du Louvre, comme terrain pour des actions d'éclat... Elle m'humiliait, avec ses éloges...

Diane et Blaise nous invitaient parfois dans leur bel appartement bourré d'objets précieux. Le plus souvent, ma mère était là, bien diminuée depuis la disparition de mon père, mort quasiment ruiné par la guerre. Diane assurait sa vie matérielle. J'aurais dû m'en féliciter, mais cela créait entre elles deux une intimité, une complicité dont je me sentais exclue. Puis, il y a eu le drame...

Le fils de Diane s'était pris d'amitié pour mon

mari qui accepta de lui donner des leçons particulières. C'était un grand garçon blond, charmant, avec le sourire de sa mère. Nos liens avec Diane, plutôt lâches, s'en trouvèrent quelque peu resserrés. Mais nous ne menions pas le même genre de vie, et les échos que j'avais de la sienne, tapageuse, ne m'incitaient pas à m'en rapprocher.

Les rumeurs véhiculées par des relations communes m'apprirent qu'elle divorçait, qu'elle avait un amant. Un de plus ! Je pris de ses nouvelles par téléphone. Elle m'assura que tout allait bien et qu'elle allait ouvrir une galerie d'art, ainsi qu'elle l'avait toujours souhaité. « On se rappelle », avait-elle conclu.

Une fois de plus, elle m'avait exaspérée. L'art, c'était mon domaine depuis notre fameuse expédition à Florence. Qu'est-ce qu'elle y connaissait ?

Diane délire. Mathilde s'approche, mais ne comprend pas ce qu'elle dit. Elle entend seulement : « Mon garçon... mon garçon... », et se recroqueville. Elle ne veut pas entendre. Mais elle sait ce que dit Diane. L'intolérable.

C'était après son divorce. Diane m'avait confié son fils, Thomas, pour que je l'emmène à la montagne. Mon mari nous accompagnait. En fait, c'est à lui qu'elle l'avait confié. Pour préparer un examen dans les meilleures conditions pendant qu'elle-même voyageait je ne sais où... Nous étions tous les trois bons skieurs et heureux de cette échappée.

Comment le garçon, qui avait quinze ans, a-t-il pu prendre l'initiative d'aller skier hors pistes ? Je ne sais pas. Ce matin-là, j'étais restée à l'hôtel. Le fait est qu'une heure après, une avalanche s'est déclenchée sur son passage et l'a tué. J'en ai eu beaucoup de chagrin. Je n'ai pas pu avoir d'enfant et je m'étais attachée à ce petit Thomas. Mon mari fut lui aussi très affecté.

Quant à Diane, je crus qu'elle allait devenir folle. D'abord, elle m'a agonie d'insultes. Comment avions-nous pu le laisser partir seul ? Nous étions des criminels. Elle m'a traitée d'idiote. Blaise, bouleversé d'avoir perdu son fils, a injurié mon mari. De fait, c'est lui qui n'avait pas eu l'autorité nécessaire pour le retenir sur les pistes. Puis, Diane est restée prostrée des jours et des jours, refusant de parler à qui que ce soit, sauf à ma mère, accablée elle aussi.

C'est au cours de cette période qu'Édouard a réussi à s'incruster chez elle. C'était l'antiquaire qui allait ouvrir pour elle une galerie. Elle a fini par l'épouser. Elle s'en sort toujours, Diane. Elle s'est sortie de tout, même de la mort de son fils. Elle est increvable. Elle n'en a même pas eu deux rides de plus...

Diane s'est endormie. Dort-elle ou bien... ? Non, on entend son souffle. Mathilde soupire. L'infirmière lui recommande de ne pas réveiller la malade, et ferme tout doucement les volets. L'ombre baigne la chambre.

Ensuite, nous avons pratiquement cessé de nous voir, malgré les objurgations de ma mère. Qu'aurions-nous eu à nous dire ?... Mais la mort de Thomas m'avait secouée. J'ai raté les derniers examens que je préparais ; j'ai toujours été mauvaise aux examens : j'ai le trac, l'impression que tout le monde me déteste, et d'abord les examinateurs...

Alors j'ai songé à m'employer pour mettre un peu de beurre sur nos épinards... Nous vivions très petitement. Mais m'employer où ? Je cherchais depuis longtemps lorsque Diane m'appela. Elle venait d'apprendre que j'étais en quête d'une place. « Viens travailler avec moi à la galerie, me dit-elle, j'ai besoin de quelqu'un. Tu utiliseras tes compétences... » J'ai beaucoup hésité. Mon mari m'a poussée. Il voyait que je dépérissais dans l'inaction.

J'ai connu quelques années amères et douces. Douces parce que le travail m'intéressait, le contact avec les artistes, les amateurs... le discernement qu'il fallait montrer. C'était l'époque où les affaires marchaient fort. Années amères parce que Diane, toujours exubérante, me dominait complètement. Comme lors de notre jeunesse, je me retrouvais dans son ombre. La patronne, c'était elle. D'ailleurs, la galerie portait son nom. Son mari, Édouard, l'adulait ; ses confrères enviaient la place qu'elle avait su occuper dans le marché de l'art. Quand, par extraordinaire, on me présentait, on ne disait pas mon nom, on disait « la sœur de Diane ». Souvent, elle se déplaçait, elle allait avec Édouard voir des expositions à l'étranger, assister à de grandes ventes publiques dont elle revenait avec des achats toujours judicieux. Elle avait l'œil. Pendant ce temps, je gardais la boutique. Ce furent mes meilleurs moments.

Cela dura jusqu'au jour où Diane s'enticha d'un peintre américain. Édouard, beaucoup plus âgé qu'elle, le prit mal. Les relations entre eux deux devinrent orageuses. Souvent, Diane pleurait. Elle disparaissait pendant des après-midi entiers. Il la cherchait partout. C'est sur moi que retombait alors sa colère.

Tout cela finit mal. Il avait financé la galerie, qui lui appartenait ; il décida de la céder, pour punir Diane. Il lui laissa de l'argent, quelques belles toiles, mais les transactions furent féroces. Édouard était blessé à vif. Quant aux nouveaux propriétaires, ils décidèrent qu'ils n'avaient nul besoin de moi. Je fus licenciée par Édouard en un quart d'heure. Évidemment, dans ces négociations, Diane n'avait nullement pensé à me protéger.

Elle était tout à ses amours, qui flambaient, et m'annonça qu'elle allait suivre son peintre aux États-Unis où elle ouvrirait une nouvelle galerie. Je l'ai accablée de reproches ; j'avais besoin de me soulager, je lui ai dit qu'elle était folle, égoïste, légère, qu'elle avait tort de croire qu'elle serait toujours belle, et qu'il y aurait toujours des hommes pour faire ses quatre volontés. J'ai passé, je m'en souviens, mon doigt sur les pattes-d'oie qui commençaient à se creuser autour de ses yeux, et je l'ai obligée à se contempler dans une glace...

— Regarde... Ça, c'est le commencement de la fin...

Elle a éclaté de rire et m'a répondu :

— Tu n'y connais rien ! Ça, c'est mon charme quand je souris...

Je l'aurais giflée...

Elle est allée s'installer à New York. Je suis rentrée chez moi, malheureuse. Je ne l'ai plus revue pendant dix ans. Des années sombres. J'avais trouvé à me recaser quelque part, mais ma mère a disparu et mon mari a commencé à souffrir d'un cancer dont il a fini par mourir. Je l'ai soigné du mieux que j'ai pu. C'est vrai qu'il était transparent, mais c'est le seul être humain à avoir été bon avec moi jusqu'au bout. Et puis, il y a trois ans, un soir...

L'infirmière entre, un thermomètre à la main. Elle vient, comme tous les jours à cinq heures, prendre la température de Diane et lui donner un cachet. Elle tire les draps, vérifie que la minerve et le plâtre n'ont pas bougé, non plus que les bandages qui entourent la poitrine de la patiente. Elle dit que la température est bonne, que la fièvre est tombée.

— Qu'est-ce que ça veut dire ? demande Mathilde.

— Que l'infection que l'on redoutait est jugulée. Surtout, laissez-la dormir...

Un soir, j'étais dans ma cuisine en train de me préparer quelques nouilles pour dîner, quand le téléphone a sonné. C'était Diane. Elle m'a parlé comme si nous nous étions vues la veille.

— Je passe te prendre, dit-elle, pour t'emmener chez un petit chinois épatant.

Je n'ai pas eu le temps de m'étonner, elle sonnait à ma porte. Elle n'était plus vraiment la Diane d'autrefois, mais elle portait glorieusement sa soixantaine passée, sans un cheveu blanc, plus mince que jamais, alors que j'avais pris sept kilos. Seuls ses mains, son cou et une légère déformation des pieds accusaient son âge. J'enregistrai tout cela d'un coup d'œil en tombant dans ses bras qu'elle m'ouvrait. Nous ne nous embrassions jamais, autrefois. Je remarquai son parfum, toujours le même... Je crois bien que nous étions émues, toutes les deux, de nous retrouver.

Dans la glace de l'ascenseur, je constatai qu'avec mes cheveux gris, j'avais l'air d'être sa mère.

Chez le petit chinois, elle commença à me raconter ses aventures américaines. Bill, le peintre, l'avait quittée :

— Il s'est aperçu qu'il était homosexuel, dit-elle. J'ai trouvé ça plutôt drôle. Ça ne l'empêchait pas d'être un très bon artiste, qui a bien réussi. Tu sais que j'ai toujours eu l'œil...

Après des tribulations dont elle fit le récit avec esprit, elle était parvenue à ouvrir une galerie dans un bon quartier, aidée par un nouvel amoureux couvert d'or.

— Mais l'époque était devenue mauvaise pour l'art, et j'ai échoué à me lancer... Alors j'ai quitté New York et j'ai voyagé avec lui. En Californie, en Floride, en Alabama. On croit qu'on connaît l'Amérique quand on a vu New York, c'est idiot. New York est un pays en soi. Il faut absolument que tu voies l'autre Amérique...

— Il y a peu de chances, dis-je, je n'ai pas le sou.

— Moi non plus ! s'écria gaiement Diane. J'ai tout claqué ! C'est pour ça que je suis rentrée. Ici, j'ai toujours l'appartement que m'a laissé Blaise, quelques tableaux. Je vais vendre une ou deux pièces pour vivre. Je n'ai plus l'âge de rencontrer un amant riche. Ni pauvre, d'ailleurs !

Elle disait tout cela en riant.

— Et toi ? finit-elle par demander.

Je lui fis une relation exacte de ma situation. Seule. Sans plus d'emploi. Une mince retraite de réversion. Le petit appartement que nous avions acheté.

— Tu sais ce qu'on va faire ? proposa Diane. Tu vas le vendre ou le louer, ça te fera des sous, et on va habiter ensemble. Ça coupera nos dépenses en deux ! Et, comme ça, on ne sera plus seules ! Qu'est-ce que tu en dis ?

J'étais éberluée. Incapable d'articuler trois mots. Heureusement, Diane parlait. Elle se mit à évoquer des souvenirs de notre enfance. Nous n'avions pas les mêmes, ou rarement. Ce qu'elle racontait me semblait étranger, rose, joyeux, parfois comique. Où étais-je, dans ce paradis ? Je lui donnai mollement la réplique. Troublée, je réfléchissais... Elle demanda :

— Tu as encore des amis autour de toi ?

— Non. Très peu. La maladie de mon mari les a écartés. Après, je n'ai pas renoué...

— Moi, je ne connais plus personne à Paris. On va arranger ça !

Vivre avec elle, ne plus être seule tous les soirs à absorber mes nouilles à la cuisine, seule devant le téléphone qui ne sonnait presque plus, seule devant la télévision – et si je tombe malade ? si je me casse une jambe ? Qu'est-ce que je risque en acceptant la proposition de Diane ? Je ne vendrai pas mon appartement, je le louerai, on ne sait jamais... Elle est fantasque, capable de renouer une liaison, de m'expulser. Je me garderai un terrain de repli.

— Nous irons au théâtre, à l'Opéra, aux expositions, dit Diane. Deux sexagénaires en goguette, ce sera très gai, tu verras ! Délivrées des hommes, quel soulagement ! À propos, qu'est devenu ce professeur de philosophie qui tournait autour de toi ? Il était fou d'amour. Tu as eu une aventure avec lui ?

— Personne n'a jamais été fou de moi, qu'est-ce que tu racontes ? Personne !

— Je suis sûre de ce que je dis. Mais il était timide, le pauvre. Il te faisait des discours sur Spinoza au lieu de te parler d'amour...

J'étais ahurie.

— On ne m'a jamais parlé d'amour, Diane. Et je n'ai jamais aimé personne... Sauf toi.

Cela m'avait échappé.

— Ma pauvre biquette ! C'est que tu n'avais pas d'oreilles pour entendre. Tu as ton caractère, hein ? Édouard me disait toujours : « Ta sœur, elle travaille bien, mais elle a un mauvais caractère. On a toujours l'impression de l'agresser... » Il était fin, Édouard.

Je fus outrée.

— Le jour où il m'a licenciée, c'était lui, l'agresseur !

Le chirurgien entra dans la chambre, suivi de l'infirmière qui alluma. Il salua Mathilde, s'approcha de Diane et demanda :

— On a refait ses pansements ? Bien. La température ? Bien, très bien. Est-ce qu'elle se plaint beaucoup ?

— Non, dit Mathilde. Très peu.

— Bien. Laissez-la dormir, elle en a besoin.

Et il sortit ; l'infirmière, sur ses talons, éteignit.

Mathilde est maintenant dans l'ombre. Le soir est tombé. Elle pourrait quitter le chevet de Diane, mais elle ne s'y résout pas. Cette longue remémoration où elle s'est plongée l'accapare trop. Son esprit est en marche, elle va le suivre encore un peu. Peut-être, dans cette forêt de souvenirs, trouvera-t-elle une clairière ?

J'ai accepté de partager l'appartement de Diane et une nouvelle vie a commencé. Diane a vendu l'une de ses toiles, un Staël magnifique ; elle était prête à tout flamber, mais je la tenais serrée. Je lui ai confisqué son carnet de chèques pour qu'elle soit obligée de me demander ; je me suis mise à vérifier de près les comptes de la maison ; je n'ai cessé d'être sur le dos de notre bonne antillaise. J'avais jugé que c'était bien du luxe, cette servante, mais Diane avait tranché : « On ne s'est pas retrouvées pour faire le ménage ! »

Elle a voulu me faire teindre mes cheveux gris. Je me suis insurgée.

— Tu auras dix ans de moins, tu verras ! a-t-elle dit.

— Et qu'est-ce que j'en ferai ? Je ne vais pas devenir coquette, à mon âge...

— N'oublie pas que nous avons le même ! a protesté Diane. Ça me vieillit, de te voir comme ça...

J'ai dû finir par céder tant elle me harcelait. Ensuite, ces teintures sont devenues des corvées. Coûteuses, de surcroît. Mais Diane payait. Elle voulait aussi m'habiller :

— Ne compte pas sur moi pour finir tes vieilles robes, ai-je dit en me souvenant de notre enfance où l'on raccourcissait mes robes pour que Diane en hérite.

Pourquoi lui ai-je fait cette remarque désagréable ?

Par habitude, je crois. Parce que je ne crois jamais à la générosité gratuite, quand j'en suis l'objet. À l'amour, en somme.

Depuis que Diane m'hébergeait, je ne cessais

de m'interroger sur ses motivations profondes. Ma participation aux frais était mince ! Elle payait tout : nos places aux spectacles, où nous allions souvent, nos sorties au restaurant, nos séances chez le coiffeur où elle m'entraînait...

Elle avait repris quelques contacts avec le monde des galeries d'art où elle avait laissé un souvenir flamboyant. Mais la plupart étaient en difficulté, quand elles n'étaient pas fermées.

Un soir, à l'Opéra où nous étions venues entendre *Le Chevalier à la rose*, elle tomba dans les bras d'un homme vieillissant mais portant beau. Il avait été de ses amis du temps de Blaise, quand elle recevait la cour et la ville... Il était tout ému de la retrouver. Ses premiers mots furent naturellement :

— Comme vous êtes belle, Diane !...

La rengaine, quoi. Elle fit les présentations.

— J'ignorais que vous aviez une sœur... Elle vous ressemble, d'ailleurs...

Ce n'était pas faux. Nous avions un air de famille, comme on dit, la même construction de visage, le même écart entre les yeux.

L'homme me jeta un regard surpris qui descendit jusqu'à mes chaussures. Ma défroque n'était pas du tout dans le genre de Diane. Ils bavardèrent un instant. La fin de l'entracte sonna. Nous n'étions pas au même étage. Il prit congé.

Je constatai que Diane était illuminée par cette

rencontre et je pris conscience que cette femme qui avait toujours vécu entourée d'une cour en était désormais privée. J'étais son dernier rempart contre la solitude absolue. Elle m'avait en somme assigné cette fonction, et, obéissant à je ne sais quelle sentimentalité, je l'assumais...

Et elle, que faisait-elle ? Elle me privait de café parce que, disait-elle, cela m'énervait. Elle exigeait que je porte une gaine parce que mes chairs tombaient. Elle me persécutait pour que je me fasse remplacer une dent noircie, et quoi encore !... Si elle exerçait sur moi cet instinct de domination qu'elle avait toujours exercé sur autrui, c'était faute d'avoir sous la main des sujets plus reluisants.

Souvent, nous nous querellions. Pour peu de choses, de simples broutilles : nous ne partagions pas le même avis sur un film, sur un livre, sur la cuisson du gigot, sur mon chat qui abîmait les fauteuils : elle n'aimait pas que j'aie un chat. Elle s'arrêtait toujours avant que nos disputes ne dégénèrent. Elle avait manifestement peur que je claque la porte.

Parfois, j'ai pensé que je me paierais un jour ce cadeau. Lui dire ce que j'avais sur le cœur : ses mines, ses enfantillages feints, cette générosité facile dont elle attendait que la grande sœur pauvre lui sache gré, alors qu'avec elle le mot « merci » a toujours paru lui écorcher les lèvres...

Mais je restais. Pour des raisons prosaïques : pour ne pas réintégrer mon sombre appartement. Pour ne pas être définitivement privée de sorties. Pour ne pas me remettre à passer l'aspirateur et à descendre la poubelle... Rien de noble, là-dedans, je dois en convenir ; mais je n'avais pas les moyens d'être noble.

Nous vivions ensemble depuis trois ans lorsque Diane me dit un matin en prenant son petit déjeuner au lit (ce qui m'exaspérait) :

— Allons à la campagne. Le soleil est ravissant et j'ai besoin de voir de l'herbe... Qu'en penses-tu ?

Je ne raffole pas de la campagne et lui suggérai d'y aller sans moi. Elle me houspilla comme si j'étais un chauffeur indiscipliné. Sa vue était mauvaise et c'est toujours moi qui conduisais son cabriolet. En fait, c'est parce que cela l'ennuyait de tourner en rond pour chercher une place où se garer.

Nous étions à cinquante kilomètres de Paris, sur une petite route que je connaissais bien, car elle était toute proche de notre maison d'enfance... La radio de bord diffusait une chanson de Gainsbourg. Diane l'adorait et, comme elle était très gaie, elle se mit à chanter à tue-tête quand, tout à coup...

Tout à coup...

— Dites-moi exactement ce qui s'est passé, madame.

— Je l'ai déjà dit, monsieur l'inspecteur. Je roulais tranquillement...

— Le témoin dit très vite...

— Si vous voulez... Je roulais, donc, lorsque, tout à coup, une camionnette a débouché d'un chemin et m'a emboutie de plein fouet.

— Le chemin était à droite ou à gauche ?

— À droite.

— Donc, vous étiez dans votre tort... Continuez.

— J'ai ressenti un choc terrible... Je suis descendue en flageolant. J'ai fait le tour de la voiture... J'ai voulu ouvrir la portière de droite, mais elle était défoncée, coincée... J'ai vu ma sœur qui avait glissé de son siège ; elle n'avait pas accroché sa ceinture. Je lui disais toujours : « Accroche ta ceinture ! », mais elle n'en faisait qu'à sa tête... Une voiture s'est approchée, le conducteur s'est arrêté... J'ai demandé du secours. Voilà...

— Vous savez que votre sœur est grièvement blessée ? dans un état critique ?

— Je sais.

— Bien. Je vous convoquerai pour la reconstitution.

Diane est morte une semaine plus tard, dans la nuit, sans souffrir. On l'avait bourrée de morphine. Elle n'a jamais su exactement ce qui s'était passé. J'ai hérité de son appartement, de son dernier tableau – un Dubuffet que j'ai mis en vente –, de quelques bijoux sans grande valeur que j'ai donnés à la servante antillaise qui n'en finit pas de sangloter.

Mes journées sont vides, alors je les emploie à passer et repasser les films d'amateur que mon père tournait avec un Pathé-Baby. J'y suis avec Diane épanouie à tous les âges. Moi, j'ai toujours l'air aussi effaré. Un échalas effaré !

J'ai perdu le sommeil. La nuit, je ressasse indéfiniment l'histoire de mes relations avec ma sœur depuis le jour où il y a eu un nouveau bébé sous le toit familial, jusqu'à ce moment si bref où j'ai tardé à freiner. Qu'est-ce qui m'est arrivé ?

LE REFLET

Ève s'est présentée chez moi un soir où je ne l'attendais pas. Ma journée de consultations avait été longue, chargée, et à toute autre j'aurais fermé ma porte. Mais cette jeune femme au visage noyé dans de longs cheveux blonds, que j'avais soignée pour une bronchite, m'intriguait. Elle semblait, au vrai sens du mot, évanescente, toujours sur le point de se dissiper dans l'atmosphère.

Elle me dit qu'elle venait me consulter à propos d'une affaire grave, qu'elle craignait d'avoir perdu la raison et me suppliait de croire ce qu'elle avait à me raconter.

Je promis.

— Je suis, me dit-elle, quelqu'un que les gens ne voient pas. À table, on oublie de me servir. À l'école, les professeurs oubliaient de m'interroger. Sur les photos de famille, je suis toujours floue. Plus tard, on ne m'a jamais invitée à danser. Ici, quand j'attends dans votre salon, on oublie de venir me chercher. Même l'homme qui m'a épousée l'a fait par inadvertance, parce que je ressemblais à une jeune sœur décédée. Il m'a quittée comme on oublie sa serviette, et j'en ai été anéantie. Je me suis sentie définitivement transparente.

« Or, le jour où nous nous sommes séparés, j'allais sortir quand je me suis regardée machinalement dans la glace en mettant mon manteau. Je n'ai pas vu mon reflet. J'ai cru qu'une ampoule s'était éteinte et je suis partie chez le coiffeur. Là, il y a des miroirs partout qui se reflètent les uns les autres. J'ai pris ma place habituelle, d'où je me surprends généralement sous plusieurs angles : rien. J'ai changé de place : rien. J'ai couru de fauteuil en fauteuil, puis dans le couloir, devant une glace en pied : rien. J'ai perdu mon reflet, docteur, je suis définitivement transparente !

« Ne souriez pas, je vous prie. Non, je n'ai pas de fièvre, je n'ai pas bu d'alcool, vous me voyez agitée parce que j'ai peur, peur !

« J'ai longtemps marché sur les Champs-Élysées où les passants me bousculaient, et j'ai voulu tenter une expérience. Je suis entrée dans un Photomaton. L'appareil s'est déclenché... Il en est sorti des rectangles blancs. Blancs ! J'ai recommencé, en vain...

« Qu'est-ce que ça veut dire ? Qu'est-ce que j'ai, docteur ? Ai-je perdu l'esprit ? Suis-je ensorcelée ? Suis-je morte sans le savoir ? C'est ça : je suis morte ?

Ève était au bord de la crise de nerfs. Elle

tortillait ses longues mèches blondes comme si elle voulait s'en étrangler. J'ai tenté de l'apaiser et lui ai administré un sédatif. Mais c'est une explication qu'elle voulait, une clé à son mystère : comment perd-on son reflet ? Cette clé, je ne la possédais pas ; les études de médecine n'enseignent pas ces choses-là. Je suggérai, pour la calmer, qu'elle avait été victime d'une illusion d'optique provoquée par le dégoût qu'elle avait d'elle-même, par le désir de s'effacer totalement puisque les autres l'ignoraient. Une envie de se nier, en quelque sorte... Je disais tout cela sans croire vraiment que l'on détraque par le psychisme les Photomaton, mais cependant persuadé que j'effleurais la vérité d'Ève. Elle ne pouvait plus *se voir*, même en photo !

Elle s'est mise à arpenter mon bureau à la recherche d'un miroir, elle a brusquement ouvert la fenêtre et j'ai craint le pire, mais c'est son reflet qu'elle quêtait sur les vitres.

Parce qu'elle était bouleversée alors que je l'avais toujours vue apathique, elle avait soudain une présence forte, comme débarrassée de ce voile de poussière dont elle semblait si souvent enveloppée. Ses yeux clairs, magnifiques, étincelaient ; sa bouche exquise lâchait du feu ; elle s'est assise en croisant de longues jambes dont la beauté, pour la première fois, me sauta aux yeux.

Comment avais-je pu ne jamais voir qu'elle était belle ?

L'idée m'est venue que c'était le moment ou jamais de le lui dire, que, dans l'immédiat, ce serait le meilleur remède à son dérèglement, que cette délicieuse folle méritait un effort de ma part, même après une rude journée de travail... Ensuite, ce serait l'affaire d'un psychanalyste.

Je l'ai étendue doucement sur mon divan. Ce fut un agréable moment dont elle a paru partager le charme.

Ne croyez surtout pas que j'use souvent de cette thérapeutique. En fait, cela ne m'était jamais arrivé. Mais le cas d'Ève était si singulier...

Quand elle s'est relevée, rajustant son chemisier que j'avais quelque peu malmené, elle ressemblait à une fleur sous la rosée. Elle a ouvert son poudrier et s'est écriée :

— Il est là ! Mon reflet est là ! Dans mon miroir !

— Vous voyez, dis-je, cela dépend de vous. Mais il faut vous faire soigner, ma petite Ève, sinon il s'enfuira de nouveau. Je vais vous donner une adresse... À propos, où est-il, votre Photomaton ?

Le lendemain, j'y suis allé par curiosité. Un employé m'a dit qu'il était fermé pour réparation.

Ève a entrepris une analyse au long cours, mais elle n'est pas encore tirée d'affaire.

De temps en temps, elle se jette sur un miroir et le casse. C'est un cas d'école.

LÉONIE A DU CŒUR

Léonie s'ennuyait.

Depuis qu'elle avait perdu son mari et que ses enfants s'en étaient allés travailler l'un en Grande-Bretagne, l'autre en Allemagne, ses journées et ses soirées étaient creuses. Elles n'avait rien à quoi penser. C'est au cercle de bridge où elle s'était inscrite que lui vint l'idée qui allait changer sa vie.

Et la perdre.

Ce jour-là, Mme Mathieu arriva dans un tailleur rouge qui lui allait comme des guêtres à un lapin. Elle était forte. Le tailleur dessinait excessivement ses formes généreuses. C'était laid. Son chemisier détonnait.

« Il faut que quelqu'un le lui disc, pensa Léonie qui était d'un naturel interventionniste. Mais comment s'y prendre ? »

Rentrée chez elle, elle chercha la petite machine à écrire de sa fille et se mit à l'ouvrage :

Chère madame Mathieu,

C'est quelqu'un qui vous veut du bien qui vous écrit. Vous êtes encore une belle femme, mais vous avez quelques kilos superflus – d'ailleurs vous mangez trop de gâteaux – et vous vous habillez comme une jeune fille. Votre tailleur rouge est une erreur ; il moule vos bourrelets. Votre jupe est trop étroite et trop courte ; ce n'est pas à votre avantage, bien que vous ayez de jolies jambes.

Puis-je vous conseiller le noir ? Ou le bleu marine ? Ou le gris foncé qui flatterait votre teint, avec un chemisier rose ?

Je vous dis cela par pure amitié.

Ernestine.

Léonie se relut et fut contente d'elle. Elle venait d'inventer un genre nouveau : la lettre anonyme bienfaisante.

Quand elle constata que Mme Mathieu ne mettait plus jamais son tailleur rouge, elle s'épanouit et décida de recommencer, avec le sentiment d'avoir trouvé sa voie.

Sa deuxième lettre s'adressa au mari de l'une de ses amies :

Cher monsieur Ducornet,

Je vous écris parce que je vous veux du bien. Vous trompez votre femme comme tout le monde, je ne vous en fais pas reproche. Mais vous pourriez y mettre plus de discrétion. Si vous croyez qu'elle est aveugle, vous faites erreur. Elle a décidé de vous faire filer pour savoir où vous rencontrez votre petite amie et vous faire surprendre en flagrant délit.

Donc, attention. Rompez ou prenez vos précautions ! Votre femme est très malheureuse, et c'est injuste. Vous lui devez beaucoup.

Ernestine.

Léonie glissa sa lettre dans une enveloppe banale, et s'en fut la poster. Puis elle rangea soigneusement sa machine. Elle avait passé un bon moment.

Pendant quelques jours, son ardeur se ralentit. Rien ne lui paraissait digne d'être tenté pour le bien des autres. Puis, le vol d'un porte-billets dans un sac eut lieu au cercle de bridge, ce qui causa un grand émoi. Ces dames étaient entre soi. La voleuse ne pouvait donc être que l'une d'elles. Malaise !

Léonie appliqua toute sa perspicacité à la découvrir pour la conjurer de restituer discrètement son larcin. En vain. Elle suggéra que tout le monde se cotise pour que la volée soit dédommagée. Suggestion retenue. Chacune ouvrit son sac.

C'est alors que Léonie aperçut le porte-billets sous la table.

— Vous avez perdu quelque chose, dit-elle à sa voisine.

Celle-ci devint écarlate et dit :

— Non, ce n'est pas à moi !

— Mais c'est mon porte-billets ! s'écria la volée. Où l'avez-vous trouvé ?

— Sous la table, répondit Léonie. Vous avez dû le perdre, l'autre jour...

On respira, on s'écria, on se congratula ; l'incident était clos.

Mais, le soir, Léonie prit sa machine :

On vous a vue jeter le porte-billets sous la table. On ne vous a pas dénoncée, parce que c'est vilain. Mais ce n'est pas la première fois que l'on vous surprend en flagrant délit d'indélicatesse. Vous subtilisez des pêches chez le marchand de fruits, des plaquettes de chocolat chez la boulangère... Comme vous n'êtes pas dans le besoin, on en conclut que vous êtes kleptomane. C'est une maladie. Sans doute manquez-vous d'amour... Soignez-vous vite avant que ça ne tourne mal ! Il y a un bon psychanalyste en ville.

Ernestine.

Celle qui reçut cette lettre fut pétrifiée. Qui pouvait l'avoir écrite ? Sans doute l'une des bridgeuses. Mais laquelle ?

À la réunion suivante, elle demanda à Léonie :

— Vous connaissez le psychanalyste qui opère en ville ?

— Pas du tout, dit Léonie, je ne savais pas qu'il y en avait un.

Et elle abattit un atout.

L'autre n'osa pas insister.

Léonie continua son manège. Elle écrivit à une jeune fille qui sentait de la bouche : « *Consultez votre dentiste. Sinon, vous ne trouverez jamais de mari.* » Elle écrivit à son médecin pour lui faire remarquer qu'il avait toujours la braguette ouverte et que cela indisposait ses patientes. Elle écrivit à un jeune homme qui cherchait du travail : « *Vous avez mauvais genre. Coupez-vous les cheveux, mettez une cravate ou, à la rigueur, un col roulé sombre... Courage !* »

Elle écrivit énormément.

Et puis, un jour, elle se sentit la conscience troublée parce qu'elle avait commis un gros péché de gourmandise, et elle s'en fut se confesser.

— C'est tout ? demanda le curé.

— Oui. Pour le reste, je peux me vanter de ne faire que le bien.

— Ah oui ! C'est vous qui avez fondé l'Aide aux filles mères repenties ? fit le curé.

— Pas du tout ! protesta Léonie. Repenties pourquoi, les pauvrettes ? Non, moi, j'écris des lettres...

Et elle raconta fièrement son affaire. Le curé fut sévère. Une lettre anonyme est une lettre anonyme :

— Vous finirez par vous faire prendre, dit-il, et alors, qu'est-ce que vous ferez ?

— Je nierai, répondit Léonie. Il faut des preuves.

— Et vous ajouterez le mensonge à l'infamie ! Reprenez-vous, ma fille, reprenez-vous !

Léonie rentra chez elle perplexe. Elle regarda *Questions pour un champion* à la télévision, puis se décida. Elle prit sa machine et écrivit :

Monsieur le curé,

Votre soutane est sale, et vous sentez le chou. Ne vous étonnez pas si les rangs de vos paroissiens s'éclaircissent.

Ernestine.

Indifférent au secret de la confession, le curé, furieux, donna la lettre au commissaire de police en lui révélant sa provenance. Le commissaire dépêcha un inspecteur chez Léonie :

— Alors, c'est vous le corbeau qui rôde dans la ville ?

Il agitait la lettre adressée au curé.

Léonie blêmit.

— Je ne suis pas un corbeau, je suis une cigogne ; j'apporte le bonheur, monsieur l'inspecteur.

— Ah bon ! fit l'inspecteur, goguenard. Racontez-moi un peu ça...

Léonie raconta. Elle raconta tout et l'inspecteur resta rêveur.

— J'aurais jamais pensé à ça ! s'exclama-t-il. Si ce n'était que moi, je vous ficherais la paix. Mais il y a le commissaire... et le curé !... Allez, venez, on y va...

— Laissez-moi une minute, supplia Léonie. Que j'en écrive encore une, la dernière !

Elle s'assit :

Monsieur le curé,

Vous n'avez pas de conscience. Dieu nous jugera tous les deux. Vous irez en Enfer, et moi au Paradis où je jouerai au bridge avec des anges pendant que vous grillerez. Et qu'est-ce que ça sentira mauvais !

Et elle signa, cette fois, de son nom.

On ne sait rien sur l'exactitude de ce pronostic. Pour l'heure, Léonie est en cabane pour atteinte à l'ordre public.

LA VOIX

Depuis que Mariette l'a quitté, Jean-Paul souffre d'insomnie.

Cinéma, virées avec des copains compatissants, il se débrouille pour sortir tous les soirs, mais finit toujours par se retrouver seul, chez lui, sous la couette rose qui exhale encore le parfum de Mariette. Alors il se tourne et se retourne, incapable de se concilier le sommeil. Il a tout essayé : la douche froide, le bain chaud, les petites pilules aussi, bien sûr, mais elles le laissent tout abruti, le matin, ce qui n'est pas recommandé pour un ingénieur en informatique, ni d'ailleurs pour qui que ce soit d'autre. Pire : la plus efficace altère la mémoire. William Styron a même écrit qu'elle l'avait rendu fou.

C'est les nerfs à vif qu'il ouvre, au creux d'une nuit hagarde, la radio placée à côté de son lit. Il doit être 2 heures du matin. Il tombe sur une voix de femme, grave, veloutée, sensuelle, qui converse avec des auditeurs et des auditrices. Âmes solitaires, pour la plupart souffrant de toutes les variétés du mal d'amour. La Voix répond avec sensibilité.

Jean-Paul l'écoute un long moment, puis – miracle ! – s'endort.

Le lendemain, il erre sur les ondes à la recherche de la Voix, tombe sur tous les genres de musique, sur de l'italien, de l'anglais, de l'allemand, mais la Voix reste introuvable. Il ignore sur quel poste il l'a captée. Exaspéré, il passe une nuit blanche et, dès le matin, fait acheter par sa secrétaire ahurie tous les journaux susceptibles de lui fournir les programmes radiophoniques de la semaine, station par station.

Le soir, il plonge dedans. En vain. À 2 heures du matin, il balaie minutieusement sur son poste toutes les longueurs d'onde, courtes, moyennes, longues, et finit par capter la Voix divine. Entre deux réponses aux auditeurs est indiqué le numéro de téléphone où on doit l'appeler pour parler avec elle entre 1 heure et 3 heures du matin. Jean-Paul le note aussitôt, soulagé, mais ses recherches l'ont énervé et il est obligé de prendre une pilule pour trouver un peu de repos.

Les soirs suivants, il jouit du plaisir de l'écouter et s'endort ensuite plus facilement. La Voix l'apaise, le berce. Comme cette femme est fine, attentive, tendre avec tous ces paumés ! Quelle connaissance du cœur humain, de l'amour, de ses cruautés ! Qui peut-elle être ? Une psychanalyste ? Une comédienne, avec ce timbre d'or ? Une femme qui a beaucoup vécu, en tout cas, et beaucoup aimé. Pas une péronnelle du genre Mariette...

Tiens ! Il y pense moins, à Mariette. Jolie, si jolie avec ses petits seins, mais une mauvaise, une méchante, une ingrate après avoir été tellement gâtée...

Il a fait laver sa couette pour que le parfum de Mariette cesse de le poursuivre, et déchiré ses photos. C'est le conseil que lui a donné la Voix quand il l'a appelée : « Faites table rase du passé, rendez-vous disponible pour une nouvelle rencontre. »

Il l'appellerait bien tous les soirs, mais il craint d'être rabroué.

Une fois, cependant, il ose. Il dit qu'il voudrait la connaître. Elle rit. Ah, ce rire tout perlé ! Elle répond que personne ne doit la connaître, qu'elle est un mystère, qu'il ne faut pas essayer de le pénétrer. Il en serait puni.

Il revient à la charge, trace le portrait qu'il se fait d'elle à travers sa voix : Jeanne Moreau jeune. Elle ne dit ni oui ni non.

Les jours passent et il devient littéralement obsédé ; mais comment séduit-on une Voix ? Il se procure l'adresse de la station où elle officie, lui envoie douze roses rouges accompagnées d'une lettre enflammée, menace de faire irruption dans son studio si elle persiste à lui refuser un simple rendez-vous, un seul !

La Voix a l'habitude, mais il y a quelque chose chez cet homme qui la touche, une fragilité... Il faut en finir avec cette histoire.

Elle lui fixe rendez-vous dans un petit café. Qu'il tienne *Libération* à la main afin qu'elle puisse le reconnaître.

Le jour dit, il l'attend, anxieux, dévisageant chacune des femmes qui entrent dans le café, son journal bien en évidence. L'une d'elles s'approche, le fixe, dit :

— Bonjour... Je suis en retard ?

Il la regarde, se couvre d'une sueur froide : la Voix est bossue.

Jean-Paul a remisé sa radio au fond d'un placard. Le sommeil l'a de nouveau déserté.

LE PLOMBIER DE GISÈLE

Blottie dans les bras de son amant, le drap à peine tiré sur elle, Gisèle Barroyer ronronnait. Elle lui léchait les oreilles, lui caressait la poitrine, murmurait des mon chéri, mon amour, mon grand coquin. C'était un grand garçon un peu vulgaire mais bien bâti, qui portait un anneau à l'oreille.

Il se laissait faire, un peu las après quelques exercices épuisants, mais flatté par cette femme jeune et belle, avec ses boucles brunes, dont il avait su faire, depuis peu, sa maîtresse. Ce n'était pas la première, tant s'en faut, mais, jusque-là, il ne chassait pas si haut. Il allait de manucure en vendeuse, parfois en mannequin dans ses jours fastes. Gisèle Barroyer, elle, était femme d'un notaire nanti.

Il l'avait connue un jour que son employeur l'avait envoyé chez les Barroyer pour remettre en marche un ordinateur défaillant dont les enfants se servaient pour leurs jeux vidéo. L'informatique n'avait pas de secrets pour lui.

Gisèle était seule. Elle l'avait regardé travailler, avait tourné autour de lui et... Ces choses-là sont quelquefois vite arrivées.

En partant, il avait mis la main sur la poignée du radiateur et dit :

— Elle est humide... Vous devriez faire réparer ça.

Depuis, ils se voyaient tous les jours, dans la petite chambre mansardée du jeune homme. Il venait la retrouver entre deux dépannages.

Ce jour-là, Gisèle poussa soudain un cri. Par la fenêtre de la mansarde, un homme en salopette les contemplait. En souriant.

Elle secoua son amant assoupi :

— Quelqu'un nous regarde !... Chasse-le, chasse-le vite.

Il se leva, un peu groggy, enroula le drap autour de ses hanches, s'approcha de la fenêtre et fit signe à l'homme de s'en aller. Mais l'autre ne bougea pas. Il continuait à sourire dans sa moustache.

L'amant ouvrit la fenêtre.

— Qu'est-ce que vous faites là ? Vous nous espionnez ?

— Moi ? Pas du tout. Je suis plombier. Je répare une fuite dans le toit.

— Bon. Eh bien, maintenant, allez-vous-en... Vous voyez bien que vous nous dérangez !

— Ah çà, dit l'homme en riant, je vous crois ! Allez, je vous laisse. À la prochaine...

L'amant referma la fenêtre.

— Il est parti, dit-il, tu peux te montrer.

Elle sauta au bas du lit et commença à se rhabiller.

— Qui est ce type ? Qu'est-ce qu'il faisait là ?

— Ce n'est rien : un plombier...

Il voulut la prendre dans ses bras, mais elle tremblait et résista.

— Il est tard, il faut que je m'en aille. On se voit demain. Tu m'appelles sur mon portable ?

Elle le regarda, lui caressa la poitrine :

— Embrasse-moi encore une fois.

Elle faillit se laisser aller à une nouvelle étreinte, mais crut apercevoir l'homme à travers la fenêtre et prit la fuite.

Elle ne s'aperçut pas que l'homme l'attendait dans la rue, et monta dans sa Clio. Il la fila avec sa camionnette, la vit ranger sa voiture dans un parking privé, entrer dans un immeuble ancien.

Il démarra.

Encore sous le coup de l'émotion, Gisèle Barroyer étonna ce soir-là son mari et ses trois enfants par sa nervosité. Elle était en général calme et affectueuse, faisait répéter leurs leçons aux gamins, écoutait son époux quand il lui racontait sa journée. Ce ne fut pas le cas, ce lundi-là.

Le lendemain matin, elle était seule chez elle, rasséréné, ôtant la poussière dans un appartement vieillot, en écoutant *RTL*, lorsqu'on sonna à la porte. Elle ouvrit et poussa un hurlement : c'était le plombier.

— Ne criez pas, dit celui-ci, je ne viens pas vous tuer !

Elle dit ce qu'on peut dire dans ces cas-là : qu'est-ce que vous faites chez moi, qui vous a permis, si vous insistez j'appelle là police, etc., etc.

Il la laissa s'épuiser, puis :

— Écoutez-moi bien, ma petite dame. Je suis ici pour une chose sérieuse. J'avais une modeste entreprise, très modeste, avec deux compagnons, qui s'est cassé la gueule. Ma femme est partie en emportant la caisse et en vidant mon compte en banque...

— Qu'est-ce que vous voulez que ça me fasse ?

— Mes deux ouvriers vont être au chômage, et moi aussi.

— Et alors ?

— Vous vous en foutez, je vois. Mais moi, ça me touche. Alors... il faut me donner de l'argent !

— De l'argent ? Et pourquoi vous donnerais-je de l'argent ?

— Vous demandez vraiment pourquoi ? Parce que si vous ne m'en donnez pas, votre mari saura comment vous passez vos après-midi. Il est notaire, non ? Ça lui fera sûrement plaisir.

Assommée, Gisèle crut s'évanouir.

— C'est du chantage ! s'écria-t-elle.

— Exactement.

— Mon mari ne vous croira jamais.

— Je lui donnerai l'adresse du gigolo, on verra bien ! répliqua le plombier.

— Mais je n'ai pas d'argent ! Mon mari me donne mon mois pour la maison...

— Il n'aura qu'à vous augmenter, c'est pas le fric qui lui manque : je me suis renseigné...

— Je ne peux pas, gémit Gisèle, je ne peux pas...

— On a bien ses petites économies, fit le plombier. Combien vous grattez, sur votrc mois ? Les femmes, on connaît ça : toutes garces et compagnie. Voir la mienne.

— Combien voulez-vous ? demanda Gisèle.

— Cent cinquante mille, pour tenir jusqu'à ce qu'on trouve du boulot tous les trois. C'est pas gras !

— C'est très gras ! protesta Gisèle.

Elle réfléchit un instant.

— Écoutez, dit-elle, revenez demain à la même heure. Le matin, je suis seule. Je vous dirai ce que je peux faire.

Il hésita, puis :

— Vous ne préparez pas un piège ? Ça me rendrait méchant, je vous préviens.

— Je sais. Non, non, ce n'est pas un piège. Mais il me faut le temps de me retourner...

— Bon, bon, grommela le plombier. Je vous crois. À demain...

— Vous allez remonter sur votre toit ? s'enquit Gisèle.

— Non, j'ai fini. Allez, au revoir.

Et il la quitta.

Gisèle sauta sur son portable et appela son amant :

— Tu es libre à quelle heure, aujourd'hui ?... Très bien. J'y serai.

L'amant fut aussi ardent que d'habitude, mais trouva Gisèle distraite, préoccupée.

— Tu as peur que ce type d'hier revienne ? demanda-t-il.

— Non, fit Gisèle. Il ne reviendra pas. Il ne reviendra jamais.

— Comment le sais-tu ? s'étonna l'amant.

— Je le sais. Tais-toi. Embrasse-moi.

Elle rentra chez elle comblée, se disant que cet homme-là, elle comptait bien le garder un moment.

Le soir, le notaire trouva sa femme plus jolie que jamais, et lui en fit compliment. C'était un bon mari. Elle lui dit alors :

— Écoute. Il se passe quelque chose de très embêtant, très embêtant... Tu vas être fâché.

— Vas-y, dit le notaire, inquiet.

— L'appartement est ancien... La plomberie est en lambeaux. Il y a des fuites dans la cuisine, dans la salle de bains des enfants. Les radiateurs expirent... J'ai convoqué le plombier : il faudra tout refaire.

— C'est embêtant, en effet, dit le notaire, mais si c'est nécessaire... Tu as demandé un devis ?

— Ça ira chercher dans les cent cinquante mille francs, répondit Gisèle. En payant au noir. Il faudra que tu me les donnes en argent liquide...

Le plombier et ses compagnons sont occupés à refaire l'installation des Barroyer.

Avec l'amant, ça va encore très bien.

IRIS DE...

Chacun va le répétant : Iris de Mallet reçoit à ravir.

Dans son appartement douillet, orné de quelques belles pièces héritées de sa grand-mère, dit-elle, décoré avec un goût sûr, elle donne régulièrement des dîners de huit personnes, jamais plus, où se retrouvent quelques « locomotives » de la société parisienne. La chère est raffinée, le service silencieux, les vins grandioses, la conversation fuse en mots féroces comme on en échange à Paris entre initiés.

Ce soir-là, Iris fit rire aux dépens d'une célèbre journaliste américaine – « qui ressemble à une engelure Louis XV » – venue l'interviewer pour *Vogue*. Iris venait de lancer une nouvelle ceinture, une chaîne aux maillons en forme de fleur de lys que les Américaines s'arrachaient. Elles l'achetaient sur Madison où se trouvait l'un des points de vente qui distribuaient les créations Iris de Mallet, colifichets en tout genre, foulards, bijoux, etc., et, bien sûr, à Paris, dans toutes les bonnes boutiques.

Iris était une jolie femme de quarante ans, élégante et fine, qui jouissait pleinement de son succès. Elle l'avait arraché à la force du poignet. À quinze ans, elle était arpète, ramassait les épingles dans l'atelier d'un couturier. Déjà, elle dissimulait soigneusement son origine, horrifiée à l'idée d'être prise pour ce qu'elle était : la fille naturelle d'une marchande de fleurs un peu putain qui passait le soir dans les boîtes de nuit. Le pire était son nom : Josèphe Millevache, qui lui avait valu bien des quolibets du temps qu'elle allait à l'école, quand elle y allait. Elle ne donnait jamais que son prénom. À l'atelier, on l'appelait Jojo et on lui disait : « Rentre ton bide », parce qu'elle avait des rondeurs superflues.

C'est en venant prendre une livraison dans le Marais chez un fournisseur de bijoux fantaisie qu'elle conçut l'idée d'en dessiner.

Passons sur les détails : cinq ans après, elle avait son propre atelier et étendait sa production à de nouveaux objets.

Entre-temps, elle s'était parée d'un prénom et d'un nom à particule : tout ce qui sortait de ses mains était signé *Iris de Mallet*. Millevache était à jamais effacé. Son ventre aussi, au prix d'un régime draconien. Elle commençait à être bien connue.

C'est alors qu'un vieil aristocrate désargenté, Adhémar, devenu placier par nécessité, lui dit :

— Vous devriez être la femme la plus fêtée de Paris.

— Ça viendra, répondit Iris.

— Non, répliqua Adhémar. Ce qui vous manque, c'est l'éducation. Vous en êtes totalement dépourvue, ma pauvre enfant.

Iris faillit se fâcher. Mais le souvenir de quelques impairs la fit rougir.

— Mon enfance a été négligée, dit-elle. Mes parents voyageaient beaucoup.

— Si vous voulez, dit Adhémar, je m'en charge. Ça m'amusera. Je serai votre Pygmalion. Vous m'offrirez un scotch de temps en temps...

Les leçons se passèrent chez Iris qui venait d'emménager. Adhémar lui enseigna d'abord le *b a ba*, comment se tenir à table, comment parler aux domestiques, quel vin servir avec les huîtres, le foie gras. Pas de champagne à table : cela fait nouveau riche ; en apéritif seulement. Puis il raffina :

— Vous êtes invitée à dîner. Vous apportez des fleurs ?

— Évidemment, dit Iris.

— Vous avez tort. On n'arrive pas avec des fleurs à la main. Vous risquez d'embarrasser la maîtresse de maison qui ne sait pas où sont les vases ou qui a quelque chose au four. Les fleurs, vous les envoyez après ou avant. Naturellement, vous ne demandez jamais où sont les toilettes... Vous prenez vos précautions avant de sortir. Quand vous invitez, vous mettez combien de personnes autour de la table ?

— Ça dépend...

— Pas plus de huit, indiqua Adhémar ; autrement on ne s'entend pas. Il faut que la conversation puisse être générale.

Iris prenait consciencieusement des notes. Adhémar poursuivit ses leçons, ravi des progrès de son élève ; il lui indiqua encore quelques pièges, puis :

— Si on vous dit « Bayreuth », qu'est-ce que vous répondez ?

— Que je ne connais pas.

— Mauvais, mauvais... Vous répondez : je préfère Salzbourg. J'y étais l'année dernière, c'était sublime...

Il lui dispensa aussi quelques conseils d'habillement :

— Vous êtes élégante... Trop, peut-être. Une robe différente chaque fois que vous sortez, cela indispose les femmes. Remettez la même de temps en temps, et si on vous en fait compliment, dites : « Ça, il y a quatre ans que je la porte. Saint Laurent, ça ne vieillit pas... »

Et ainsi de suite.

La renommée d'Iris n'avait cessé de grandir. Elle commença à être invitée et appliqua avec succès les recommandations d'Adhémar. Mais elle s'aperçut que les gens présumés bien élevés sont capables de dire : « Ce con... il fait chier ! », et de se tenir très mal dans leur fauteuil. Avisée, elle se garda d'en faire autant, consciente que tout s'imite, sauf la désinvolture.

Charmante, gaie, connue, Iris devint bientôt l'ornement des meilleures maisons et se mit, comme on l'a dit, à recevoir elle-même.

Arriva ce qui devait arriver : un éditeur lui proposa de publier sa biographie. Une *success story* comme le public en raffole.

— Mais je ne sais pas écrire ! se récria Iris.

— Aucune importance, je vous donnerai un nègre, quelqu'un devant qui vous n'aurez qu'à parler. Il écrira. C'est toujours comme ça que nous procédons. Je vous verserai une forte avance.

Elle voulut réfléchir et consulta Adhémar.

— Je vous déconseille formellement d'accepter, dit Adhémar. Ces gens-là sont capables de vous faire écrire n'importe quoi ! Vous n'avez pas besoin de ça.

Mais Iris était flattée. Plus : subjuguée à la perspective de s'inventer une biographie telle qu'elle aurait voulu qu'elle soit, de clicher définitivement son personnage.

Elle reçut le nègre, un homme mélancolique condamné à ce métier parce que ses propres livres ne se vendaient pas. Elle lui raconta des histoires de château, de père ambassadeur, de grand amour blessé avec un aviateur tombé en flammes... Elle en remettait un peu à chaque entrevue, se grisait.

Jusqu'au jour où le nègre lui dit :

— Vous n'avez pas été à l'école communale du 19e arrondissement ?

— Moi, s'écria Iris horrifiée. Vous êtes fou !

— C'est drôle, poursuivit le nègre. Je me souviens d'une petite fille que l'on appelait Jojo et qui avait exactement vos yeux. Des yeux violets...

— Ah oui ? Eh bien, monsieur le nègre, vous vous trompez ! Mes yeux sont bleu pervenche et je n'apprécie pas vos familiarités. Donnez-moi vos cassettes. Voilà ce que j'en fais !

Elle les jeta dans la cheminée où brûlaient de grosses bûches et congédia sèchement le nègre abasourdi.

Puis elle saisit son téléphone et appela l'éditeur :

— Votre nègre, je ne veux plus le voir... Il m'a insultée ! ! !

— Ce n'est pas possible, dit l'éditeur, c'est un homme très bien élevé.

— Un rustre, oui ! Est-ce que j'ai une tête à avoir fréquenté l'école communale du 19e ?

— C'est arrivé à tout le monde, dit l'éditeur, ahuri.

— Oui, eh bien, pas à moi.

Elle raccrocha, se calma un peu, se souvint du conseil d'Adhémar : attention, ces gens-là écrivent n'importe quoi. Elle était passée à côté de la catastrophe.

Iris avait encore, dans le tiroir de son secrétaire signé Jacob, le chèque d'avance remis par l'éditeur. Elle le déchira rageusement, en glissa les morceaux dans une enveloppe avec un mot : « Tout est fini entre nous », envoya la servante le mettre à la poste et lui donna congé pour le week-end, comme d'habitude.

L'après-midi du samedi s'étirait. Elle prit une douche chaude, se parfuma, enfila un déshabillé affriolant et emplit un seau de glaçons.

On sonna à la porte. C'était son masseur. Un beau garçon râblé la souleva de terre pour l'embrasser, lui pinça les fesses et lui dit :

— Ça va, ma bichette ? T'es drôlement bandante, là-dedans !

Elle passait ses week-ends en secret avec lui. C'étaient ses vacances.

POUR MÉMOIRE

L'opération a eu lieu un vendredi, le jour de mes trente ans. C'était en l'an 2235. Le chirurgien avait beaucoup hésité, et moi aussi. J'étais son premier cas, et il n'était pas évident qu'elle réussirait. Il s'agissait en fait de substituer à ma mémoire celle prélevée sur un mort fraîchement décédé. La première expérience avait eu lieu aux États-Unis. Elle m'avait fascinée.

Je ne me souviens plus, et pour cause, de ce que je voulais oublier, mais, avant de me soumettre au bistouri du chirurgien, je l'ai écrit pour que, quelque part, il en reste une trace. Quand je relis ce texte, c'est sans émotion. Il ne s'agit plus de moi, mais d'une autre. Moi, je n'ai plus de passé. Ou plutôt, j'en ai un tout neuf avec lequel, maintenant, je dois vivre.

Le problème a été de choisir une mémoire qui me plaise.

Contre l'avis de mon chirurgien, j'ai jeté mon dévolu sur celle d'un homme de mon âge, histoire de voir du pays.

Ma mémoire d'origine était pleine de larmes et de déchirements, d'humiliations et d'angoisses – tout ce dont mon texte portait témoignage. Si mon cas intéresse les scientifiques du futur, ils pourront y lire que j'ai vécu la guerre éclair entre la Chine et la Russie, l'anéantissement de Moscou et de Pékin par des missiles nucléaires, partout la terreur des retombées atomiques...

Ingénieur très qualifié dans les techniques de pointe, je dirigeais alors l'Institut de recherches sur les effets du nucléaire. Je me suis embarquée sur la première fusée ayant pour mission d'apporter, si possible, des secours aux populations ravagées.

Dans mes notes je lis :

Expérience épouvantable, ineffaçable. C'est pire que tout ce que l'on imagine. Ce que j'ai vu, c'est tout ce que je veux expulser à jamais de ma mémoire en la remplaçant.

Je rapporte d'autres souvenirs moins traumatisants, moins obsédants, mais lourds de beaucoup de souffrances généralement liées à mon état de femme. Il me semblait qu'une mémoire d'homme n'en serait pas – ou pas aussi – chargée.

Je partis donc à sa découverte avec une infinie curiosité. Qui étais-je devenue ? L'homme auquel j'avais emprunté sa mémoire s'était tué au volant d'une BMW.

L'argent ne m'intéresse pas énormément. Mon précédent mari m'a laissé une petite fortune que j'ai placée avant mon opération. Sachant que je ne me souviendrais plus ni où ni comment, j'ai pris les notes nécessaires. De ce côté-là, j'étais tranquille. Néanmoins, cette BMW me rassurait : je n'étais pas tombée sur un clochard.

La mémoire que j'avais héritée de l'accident, une douleur atroce consécutive à un choc, me tourmenta longtemps et je dus me forcer pour me remettre à conduire.

La première chose que je réclamai en me réveillant fut l'agenda de mon donneur. On me le remit, tout taché de sang. Je m'agitai au vu des rendez-vous dont il faisait mention. Le chirurgien dut me rappeler que le propriétaire de l'agenda était mort et qu'en conséquence, aucun rendez-vous ne le sollicitait plus.

Puis, je réclamai ma mère.

— Vous n'avez pas de mère, me dit le chirurgien, patient. La vôtre est morte depuis longtemps, et celle que votre nouvelle mémoire réclame serait bien en peine de vous reconnaître. D'ailleurs, elle est plongée dans l'affliction, la pauvre femme...

— Je voudrais la voir tout de même. Je l'aime. Vous ne pouvez pas m'arranger ça ?

Il inventa je ne sais quelle fable, grâce à quoi elle accepta de venir me voir à la clinique.

— Ma pauvre enfant, me dit-elle, vous aussi, vous avez eu un accident...

Je lui racontai que j'avais bien connu son fils, que je savais tout de lui, de son enfance, de son goût pour les groseilles, et comment il avait peur, la nuit, dans le noir, et ce don qu'il avait pour les langues...

(Moi qui n'avais jamais pu articuler convenablement deux mots d'espagnol, je le savais maintenant, outre le japonais, l'anglais et l'allemand.)

La pauvre femme n'en revenait pas.

— Mais comment savez-vous tout cela ? Il ne racontait jamais rien.

Elle pleurait. J'abrégeai sa visite en lui promettant de venir la voir dès mes relevailles, puisqu'il était évident que j'aimais cette mère-là.

— Se peut-il, demandai-je au chirurgien, que des bouts de mon ancienne mémoire fonctionnent encore ?

— C'est improbable, me dit-il. Pourquoi ?

— Parce que, quelque part, très loin, je me souviens que je haïssais ma vraie mère...

— Pure imagination ! Ne compliquez pas les choses. En tout cas, vous en avez une de... rechange !

Un jour, la porte de la chambre s'ouvrit et une furie fit irruption : sa femme. D'entrée, elle m'insulta :

— Alors, c'est vous ? C'est vous qui étiez avec lui dans la BMW ? Espèce de garce ! On me l'a caché. Je savais bien qu'il n'était pas seul.

Celle-là, je ne voulais pas la voir. Pourquoi l'avais-je épousée ? Allez savoir... Elle m'avait toujours rendu malheureux.

L'idée me vint que ç'avait peut-être été réciproque. Oui, sûrement, ça l'avait été. Mais je n'avais aucune raison de supporter davantage cette créature, avec ses récriminations, et je l'expulsai brutalement.

En partant, elle me lança :

— Et pour comble, il me laisse sans un sou !

C'était donc cela qui me tourmentait : des soucis d'argent ! Mes affaires étaient en désordre. Mon donneur de mémoire se trouvait au bord du dépôt de bilan. Peut-être même s'était-il suicidé. Comment savoir ? C'était avant moi. D'ailleurs, que m'importait ? Simplement, il m'était désagréable de traîner maintenant cette femme dans ma mémoire.

Lorsque je fus d'aplomb, je m'aperçus que j'étais seule. J'avais perdu les amis qui peuplaient mon ancienne mémoire, et jusqu'au visage familier de mon boucher. En revanche, je m'ennuyais des amis que j'avais en quelque sorte acquis, et décidai donc de faire leur connaissance.

Dans l'agenda de l'Autre se trouvait une liste de numéros de téléphone. J'appelai au hasard :

— Je suis une vieille amie de X... Ça me ferait plaisir de vous rencontrer...

Une fois, je tombai sur un :

— Ce fils de pute ? Il a cassé sa sale gueule, et il a bien fait !...

Et on raccrocha.

Je me souvins que je l'avais ruiné.

Un autre fut plus amène : un camarade d'université. Je me rappelai un grand garçon athlétique avec lequel j'avais fait les quatre cents coups. Il m'invita à dîner avec sa femme :

— Nous nous sommes bien amusés ensemble, me dit-il. Le pauvre vieux...

— Lui ne s'est pas amusé. Il tremblait tout le temps !

— Lui ? Vous ne l'avez pas connu. Toujours d'attaque sur tous les coups...

— Vous vous êtes fait de lui une idée fausse. C'était un garçon malheureux, son père ne l'aimait pas et il s'est toujours senti indigne de lui...

— Ça alors ! Vous m'en bouchez un coin !

— Elle a raison, renchérit sa femme. Il n'était pas heureux.

Qui aurait pu le savoir mieux que moi ? Trente ans après, je portais encore cette blessure...

Un autre, un collègue de travail qui avait un temps dirigé son entreprise, me confia :

— Il était imprudent, il fonçait... C'était une partie de son talent. Mais on l'a écrasé. S'il avait vécu, il aurait redressé son affaire, j'en suis persuadé.

Bien sûr ! J'avais en tête tout ce qu'il fallait faire pour sortir du mauvais pas où je me trouvais fourrée. J'en dis deux mots à mon interlocuteur, étonné de me voir si bien au fait de ces choses. Il me proposa même de travailler avec lui, mais je ne cherchais pas du travail. Je ne cherchais qu'à reconstituer un tissu d'amitiés à travers ma nouvelle mémoire.

Ce fut long et peu efficace. On ne vit pas sans racines. Les miennes étaient coupées. Les nouvelles étaient artificielles, faute d'être irriguées par la vie.

Une seule rencontre me fut profitable : celle de sa secrétaire, Jane. Elle était à mon service depuis que j'avais repris le contrôle de mon affaire, une clinique où l'on pratiquait le clonage. Ma mémoire savait que l'on avait vu trop grand, que de graves erreurs de gestion avaient été commises, que les coûts de publicité avaient été ruineux, mais beaucoup de choses me restaient obscures.

Jane insista pour que j'élimine ceux qui, les derniers temps, avaient trahi les intérêts de son ancien patron :

— Il n'a jamais voulu le savoir, me dit-elle ; c'est ce qui l'a perdu.

Elle me cita trois noms. Était-ce possible ? Ma mémoire me les restituait en lieutenants fidèles et dévoués ! Je me fiai à Jane, m'en séparai et fis ouvrir une enquête sur leurs malversations. Ce fut mon premier acte à la direction générale, suivi d'autres où les conseils de Jane se révélèrent judicieux. C'était une personne en tous points remarquable.

Ma mémoire me disait qu'elle avait été ma maîtresse. À cela je ne pouvais rien, mais je lui accordai beaucoup de considération et j'augmentai son salaire. Elle avait été si longuement exploitée...

Elle parla avec précautions de Lily... Lily, pour moi, était une petite blonde avec laquelle j'avais eu une aventure sans lendemain. Jane m'apprit qu'après m'avoir quittée, elle avait eu un enfant – de moi, disait-elle – et se trouvait dans une situation précaire.

Un enfant ! Il ne me manquait plus que ça ! Il n'appartenait pas à ma mémoire, je ne voulus pas en parler ni en entendre parler, sinon pour charger Jane de lui remettre quelque argent.

Cette histoire d'enfant me préoccupa quelquefois ; je sentais que Jane me jugeait sévèrement, mais enfin, je n'étais pas le Père Noël !

La situation de la clinique fut assez rapidement redressée. Les clonages se multipliaient, c'était devenu une véritable mode et nous avions les meilleurs praticiens. Mais j'en eus alors assez. J'avais travaillé dix heures par jour, j'étais satisfaite d'avoir réussi ; maintenant, je m'ennuyais.

L'argent ne me manquait pas. J'eus envie de voyager, d'aller sur Mars, peut-être : des séjours commençaient d'y être organisés, mais je ne trouvai personne pour m'y accompagner. Comme je l'ai dit, je crois, en perdant ma mémoire originelle, je ne savais plus qui étaient mes amis d'autrefois, je ne connaissais même plus leurs noms, et la personne que j'étais devenue n'avait su s'en faire de nouveaux. Peut-être avais-je eu tort de vouloir une mémoire d'homme ?

Quand j'ai commencé à faire d'affreux cauchemars où un petit garçon terrorisé était sodomisé par son père, je n'y ai plus tenu, j'ai appelé mon chirurgien. Il était enchanté de lui et de son opération, la première d'une série réussie.

— Et vous, me dit-il, comment allez-vous ?

— Je vais mal. Celui dont vous m'avez donné la mémoire a été presque aussi malheureux que moi ; il avait en tout cas autant de mauvais souvenirs. Est-ce donc que tout le monde est malheureux ?

— Ça, ma chère, il faut vous y faire, il n'y a pas ou il y a bien peu de mémoires heureuses.

— Est-ce que vous pourriez par hasard me rendre la mienne, la vraie, veux-je dire ?

— Non, désolé, elle est détruite ; l'opération

est irréversible. À la rigueur, on pourrait vous en greffer une nouvelle, mais sans savoir ce qu'il y a dedans. C'est un risque.

Je n'ai pas pris ce risque. J'ai renoué avec mes activités à la clinique de clonage. Vers 5 heures, on m'apporte une bouteille de whisky. Quand je commence à vaciller, Jane me ramène à la maison.

LA CASSETTE

J'ai reçu cette cassette par la poste, sans indication d'expéditeur. J'en reçois beaucoup et je l'ai d'abord négligée. Puis, un jour, je l'ai écoutée et j'ai immédiatement reconnu la voix de celui qui l'avait enregistrée. Voilà ce qu'il disait :

J'ai échoué.

Mon corps est brisé, un bloc de douleur, mais mon cœur bat, je respire.

Le ridicule qui s'attache à un suicide manqué va s'ajouter à ma souffrance dès que la nouvelle s'en répandra. Les chacals de la presse vont en faire leurs délices : « Il rate sa sortie ! » ou : « Encore un coup de pub... »

Je suis trop connu pour pouvoir espérer le silence, j'ai eu trop de succès pour qu'on m'accorde de la compassion, je suis promis au supplice du ricanement.

C'est bien fait. Quand on se jette par la fenêtre, on regarde ce qu'il y a en bas. Il y avait un camion qui livrait des matelas. Ils ont amorti ma chute.

On écrira que j'étais dépressif, que j'avais peur de vieillir. C'est faux. J'adorais mon métier et j'ai l'orgueil de penser que je le faisais bien, puisque le public de la télévision m'a été fidèle tout au long de ma carrière, alors qu'il a été si cruel à d'autres... Mais il faut comprendre ce que signifie travailler pour la télévision, même lorsqu'on en est l'un des fleurons.

D'abord le stress. On reçoit tous les jours une petite feuille indiquant quart d'heure par quart d'heure, et même minute par minute, l'évolution de l'audience au cours des émissions, comment elle glisse, se déplace, revient – ou ne revient pas. De mauvais résultats, et on est ravagé, sinon liquidé.

J'ai tout connu : le temps où il n'existait que des chaînes publiques, et puis l'irruption du privé. Jusque-là, les patrons changeaient tout le temps, mais ils servaient l'État. Brusquement, les patrons de chaînes ont été des produits du grand capital, uniquement animés par le désir de faire de l'argent, c'est-à-dire de la publicité, c'est-à-dire de l'audience.

Il y a eu une période de véritable folie où, pour s'assurer les bien-aimés du public, ils mettaient des millions sur la table. Je vois encore l'un d'eux me disant : « Vous y viendrez, mon cher, vous y viendrez... Vous savez pourquoi j'ai fait fortune ? Parce que je sais que tout s'achète. Je suis sûr que votre femme aime les manteaux de fourrure... » Je ne dédaigne pas l'argent, j'en ai beaucoup gagné, mais il m'a levé le cœur.

Un autre, plus pittoresque, m'a invité dans sa superbe demeure, une espèce de musée. Il m'a dit : « On se tutoie, hein ?... Les putains, tu aimes ? Tu vas en avoir de superbes, si on travaille ensemble... » Je sais que ça n'a pas l'air vrai, ce que je raconte, mais je le jure, je le jure sous serment !

Quand on est né « à gauche », qu'on a été élevé dans le respect de l'État et du bien public, des choses de ce genre vous rendent malade. On se dit : des gens comme ça ne peuvent pas exister, on ne peut pas leur avoir livré la télévision clés en main !

Je n'ai pas cédé à leurs sirènes et je suis resté dans le service public tandis que mes camarades arpentaient les chemins d'un enfer pavé d'or, un jour au pinacle, le lendemain jetés comme des chiens, humiliés, cassés dès que leur audience se mettait à faiblir.

J'ai été heureux pendant quelques années, soutenu par le public pour lequel je me défonçais, jusqu'au jour où je ne sais plus lequel de ces directeurs arrogants et fugaces m'a dit : « On vous a assez vu. Vous êtes un *has-been...* »

Je lui ai fait rentrer ces paroles dans la gorge en réalisant, la même semaine, l'un des meilleurs scores de la chaîne. En vérité, il m'a stimulé, mais, en même temps, il m'a fait mal. J'ai commencé à me poser des questions. Étais-je un *has-been* parce que je continuais à me faire une certaine idée de ce que l'on doit au public quand on prétend le divertir ? Je n'avais jamais eu plus d'idées, au contraire, et je l'ai prouvé, au grand dam des journalistes spécialisés, toujours avides de chair fraîche.

Cependant, j'ai commencé à en avoir assez, assez d'être suspendu à des courbes d'audience, assez de mener une vie frénétique dont, tout à coup, le sens m'échappait. Assez.

Ma femme et mes enfants m'ont toujours protégé de la maladie qui frappe les vedettes de la télévision : la surestimation de soi, l'idée folle que l'on est « quelqu'un » parce que les gens connaissent votre gueule, la confusion des valeurs.

Je ne suis pas modeste : je crois que je fais bien ce que je fais, mais ni plus ni moins. Soudain, cela ne m'a plus suffi pour avoir le goût de vivre. Pour la première fois, en visionnant la cassette d'une émission que je croyais réussie, je me suis trouvé mauvais, d'un entrain affecté, d'une gaieté factice. Je me suis dit : « Ce bonhomme-là, on l'a assez vu. »

J'étais dans ma chambre, seul ; ma femme à la campagne ; il faisait très chaud, j'ai ouvert la fenêtre...

Et j'ai sauté.

Je n'en suis pas fier, mais certaines pulsions

sont irrépressibles. Je n'imagine que trop les commentaires que ce geste appellera. Quoi que l'on écrive à mon sujet, je n'y répondrai pas. Si je dicte ces quelques notes à votre intention, c'est parce que je fais confiance à votre amitié pour en user à bon escient quand vous publierez votre *Histoire véritable de la télévision*.

Cette *Histoire véritable* paraîtra un jour. Ce ne sera pas un ouvrage drôle. Pas du tout.

CHAPITRE IX

Marie-Ange était une jeune vierge provinciale bien née. Benjamine de quatre petites sœurs. Son père, officier supérieur par tradition familiale, sa mère, de petite noblesse, confièrent l'éducation de leur fille à une institution religieuse où on lui enseigna tout ce qu'une fille doit savoir, mais rien au-delà.

A dix-huit ans, Marie-Ange était rêveuse, romantique, et se regardait beaucoup dans son miroir qui lui renvoyait l'image charmante d'une brune au teint de lait. Ses quatre sœurs étaient blondes. Dans la famille on disait qu'un ancêtre grand d'Espagne était passé par là à l'occasion de brèves amours avec une arrière-grand-mère bourguignonne.

Et elle, Marie-Ange, qui serait son grand d'Espagne ?

Rien ne la prédisposait à rencontrer, moins encore à épouser Blaise Hernandez, produit achevé de la bourgeoisie d'affaires, vingt ans de plus qu'elle et de surcroît marié. Mais les hasards de la vie les mirent en présence au cours d'une vente de charité au bénéfice des Filles de

“APPELEZ-LA...”

Marie-Ange était une jeune vierge provinciale bien née, flanquée de quatre petites sœurs. Son père, officier supérieur par tradition familiale, sa mère, de petite noblesse, confièrent l’éducation de leur tribu à une institution catholique où on lui enseigna tout ce qu’une fille doit savoir, mais rien au-delà.

À dix-huit ans, Marie-Ange était rêveuse, romantique, et se regardait beaucoup dans son miroir qui lui renvoyait l’image charmante d’une brune au teint de lait. Ses quatre sœurs étaient blondes. Dans la famille, on disait qu’un ancêtre, grand d’Espagne, était passé par là à l’occasion de brèves amours avec une arrière-grand-mère gourgandine.

Et elle, Marie-Ange, qui serait son grand d’Espagne ?

Rien ne la prédisposait à rencontrer, moins encore à épouser Blaise Hermeulin, produit achevé de la bourgeoisie d’affaires, vingt ans de plus qu’elle et de surcroît marié. Mais les hasards de la vie les mirent en présence au cours d’une vente de charité au bénéfice des Filles de joie repenties où Marie-Ange tenait un stand avec l'une de ses sœurs.

Blaise accompagnait une jolie femme menue, à l'élégance discrète, et parcourait avec elle les allées du hall, s'arrêtant ici et là pour acheter une foule d'objets plus inutiles les uns que les autres. Quand le couple s'arrêta devant le stand de Marie-Ange et que Blaise demanda le prix d'une gravure, la jeune fille rougit, pâlit, se trompa d'un zéro. Sa sœur la reprit. Blaise s'amusa de cette fraîche beauté tremblante, et dit :

— Vous vouliez m'estamper, hein ? C'est du beau, mademoiselle !

Il avait le sourire de Robert Redford. Irrésistible. Il la taquina, fouilla dans le bric-à-brac qu'elle présentait, en tira quelques horreurs. Sa mère en fit autant et demanda que l'on mît tous ces achats de côté ; le chauffeur passerait les prendre.

Blaise signa un chèque consistant, adressa un dernier sourire à Marie-Ange en lui disant : « N'ajoutez pas un zéro ! », et le couple s'éloigna.

— Ils ont été chic, dit la petite sœur. Tu les as reconnus ? Elle, c'est la belle Mme Hermeulin.

Marie-Ange suivait des yeux le couple.

— C'est sa femme ?

— Mais non, idiote. C'est sa mère !

Marie-Ange semblait frappée par la foudre.

De nouvelles clientes vinrent la tirer de sa méditation.

Le surlendemain, elle se présentait à la banque Hermeulin Frères. À l'hôtesse d'accueil, elle dit qu'elle venait remettre en mains propres à M. Blaise Hermeulin un objet précieux. La secrétaire transmit. Intrigué, Blaise reçut la visiteuse.

— Ah, s'écria-t-il, ma petite voleuse !

Elle lui tendit la gravure qu'elle avait surestimée, et dit que c'était pour le remercier de s'être montré si généreux.

Il partit d'un grand rire, assurant qu'il n'avait encore jamais vu cela, et la fit asseoir pendant qu'il répondait au téléphone.

— Un déjeuner qui est annulé, dit-il en raccrochant. Quelle chance ! Je vous emmène. Vous êtes libre ?

Et c'est ainsi que tout a commencé.

Blaise se trouvait à un moment de sa vie où il avait envie de changer de vie. Une forte situation dans la banque d'affaires fondée par son grand-père, des succès en tout genre – il était première série au tennis –, un physique de jeune premier lui donnaient une assurance qui dissimulait un profond doute de soi qu'il lui fallait sans cesse compenser. Il n'avait jamais pu remplacer dans l'amour de sa mère un frère aîné mort de bonne heure.

Quand il avait épousé, très jeune, une charmante Isabelle dont il escomptait quatre enfants, elle se révéla stérile et nymphomane. Comme quoi les meilleures officines de renseignement consultées par le père de Blaise avant de ratifier le mariage ne savent pas tout. Isabelle sautait sur les hommes.

Quand Blaise prit la mesure du désastre, il en souffrit de toutes les manières. Il avait rêvé d'un mariage heureux, d'une vie de famille telle qu'il l'avait connue chez ses parents, et il aimait Isabelle, tout simplement. Il la plaignait. Aussi ne s'en était-il jamais séparé. Elle portait son nom. Il se faisait un devoir de la protéger. Mais l'échec de leur vie commune avait réactivé une angoisse infantile dans une zone obscure de lui-même.

Il se mit à la soigner bizarrement. Séduisant, il n'éprouvait aucune difficulté à plaire. Au hasard des rencontres, il fixait son choix sur une femme, lui envoyait dix-huit roses, et, dans la foulée, emmenait sa proie dans un palace où il avait une chambre réservée. Une fois, deux fois, trois fois. La troisième, il annonçait courtoisement que ce serait la dernière, tout en s'efforçant de ne pas blesser sa partenaire : « Je suis malade, disait-il, malade. »

Il y a encore, à Paris, des femmes qui se souviennent de lui avec un mélange de dépit et d'attendrissement.

Un jour, il connut Adélaïde. Curieusement, il voulut d'elle une quatrième, une cinquième fois... Quand elle lui annonça qu'elle partait un mois aux États-Unis pour son travail – elle représentait un groupe d'éditions –, il s'insurgea.

Adélaïde avait du charme, du tempérament, de l'esprit, mais rien d'exceptionnel, si ce n'est qu'elle ressemblait étrangement à la mère de Blaise. Même silhouette blonde, menue, mêmes imperméables doublés de vison, même sourire bleu foncé... Et, d'une certaine façon, elle le dominait.

Indifférente à ses protestations, Adélaïde partit. Quatre jours après, il la rejoignait à New York où ils basculèrent dans la passion et firent scandale en partageant une chambre. Ainsi était New York en ces années-là, intolérante aux couples irréguliers.

Ce fut une liaison intense, ponctuée de scènes quand Adélaïde repartait en voyage. Blaise se conduisait alors comme un petit garçon abandonné sur le quai d'une gare et recommençait à courir les greluches. Mais, un jour, Adélaïde claqua la porte malgré l'intervention de Mme Hermeulin qui avait pour elle de la tendresse.

— Il se croit tout permis, vous l'avez trop gâté, lui dit Adélaïde.

— Non, dit Mme Hermeulin, songeuse. Pas assez.

C'est alors que Marie-Ange parut.

Celle-là n'entrait pas dans le schéma habituel. Il fallait convoler. Le vieux rêve de Blaise se réveilla : une douce épouse, des enfants, un foyer. La famille de la jeune fille renâcla, mais elle déclara qu'elle préférerait se suicider plutôt que de le perdre. Il fallut bien céder.

Ennemi des pertes de temps, Blaise annonça le même jour à Isabelle qu'il divorçait, et à Adélaïde qu'il se remariait pour avoir des enfants. Et il réfugia sa névrose dans des bras frais.

D'abord, il s'y trouva on ne peut mieux. La jeune vierge enamourée, devenue mère de famille, était exquise, éperdue d'admiration. Elle l'écoutait sans regimber raconter combien Isabelle l'avait fait souffrir et combien il continuait cependant de lui être attaché, combien Adélaïde était une personne exceptionnelle qui avait illuminé sa vie, mais quel mauvais caractère ! Marie-Ange n'était pas peu fière d'avoir évincé dans son cœur deux femmes qu'on aurait crues indéboulonnables. Blaise lui appartenait, maintenant.

De fait, il paraissait calmé. Il dit un jour à Adélaïde qu'il revoyait de temps en temps :

— Marie-Ange m'a guéri des femmes.

— Quelle tristesse ! répondit Adélaïde. Heureusement que toi, tu ne m'as pas guérie des hommes !

Il n'apprécia pas.

Des turbulences dans sa vie professionnelle, une fusion, des voyages absorbèrent un temps toute l'énergie de Blaise. Mais voilà qu'un soir, rentrant à l'improviste de Hong Kong, il trouva ses deux enfants seuls à la maison. Le garçon sanglotait. On sut plus tard que la gouvernante était allée roucouler avec un coquin.

Blaise entra alors dans une rage froide, et quand Marie-Ange reparut, il l'insulta :

— Tu as laissé mon fils seul, dit-il, tu l'as abandonné !

— Je me trouvais chez ma mère, plaida Marie-Ange ; la gouvernante était restée avec eux.

— Ça ne m'intéresse pas ! s'écria Blaise. Il s'en souviendra toute sa vie. Je ne te le pardonnerai jamais ! Désormais, je t'interdis de sortir le soir quand je ne suis pas là.

Les beaux jours étaient finis.

Quand Marie-Ange apprit que Blaise s'exhibait avec une banquière, le ciel lui tomba sur la tête. Le cycle des scènes commença. Lassé, il y mit un terme en la répudiant, confia les enfants à sa mère et n'eut plus avec elle que des rapports d'argent : un chèque tous les mois.

Bafouée, humiliée, mais refusant le divorce parce que le mariage est un sacrement et qu'ils l'avaient reçu ensemble, Marie-Ange connut quelques années affreuses, sans d'ailleurs rien perdre de sa beauté. Mme Hermeulin la tenait pour une cruche, mais, apitoyée, lui arrangeait, à l'insu de Blaise, des entrevues avec ses enfants. Elle était devenue pour eux une étrangère. C'était pire que de ne pas les voir du tout.

Quand le garçon consentait à lui parler, il disait :

— Tu te souviens du soir où tu nous as abandonnés ?

— Je ne vous ai pas abandonnés ! répliquait inlassablement Marie-Ange. C'est Miss Clarke qui vous a abandonnés.

— Non. C'est toi ! Papa l'a dit.

La scène se répéta à chaque entrevue, jusqu'à ce que le garçon ait atteint ses douze ans. Son père l'envoya alors dans un collège en Grande-Bretagne, et Marie-Ange ne le vit qu'une fois par an. Il était devenu très civilisé, mais la distance entre eux deux ne fut jamais réduite.

La fille, plus âgée, fit une fugue avec un chanteur de rock. Blaise, hors de lui, remua ciel et terre pour finir par la retrouver, droguée, dans une auberge d'Espagne. Le galant avait disparu. Quand elle se réfugia chez sa mère, Blaise reconnut qu'il avait eu tort de l'en séparer. Il eut une brève entrevue avec Marie-Ange, crispée, dont il ressortit que la fille habiterait désormais là où elle voudrait. Cela dura dix minutes au cours desquelles ils évitèrent de se regarder l'un l'autre.

Le temps passa. Marie-Ange n'entendit plus parler de son mari, jusqu'au jour où la fidèle secrétaire de Blaise l'appela :

— Il veut vous voir, dit-elle.

En vérité, les choses étaient un peu plus compliquées. La secrétaire avait trouvé Blaise affalé sur son bureau, victime d'une attaque, à demi paralysé, parlant avec difficulté. Il avait réussi à articuler : « Appelez-la... »

La... qui ? Sa mère ? C'était maintenant une très vieille dame qui vivait loin de Paris, dans ses terres de Provence. Elle craignit de l'effrayer.

Isabelle ? Adélaïde ? Marie-Ange ? Une autre, peut-être, plus récente, qu'elle avait entrevue ?

Avec la vive conscience de commettre peut-être une gaffe qui rendrait Blaise furieux, elle opta pour Marie-Ange. Après tout, c'était l'épouse légitime.

Marie-Ange accourut. Est-ce elle qu'il attendait ? Qui sait ? En tout cas, il la reconnut et sur son visage déformé, un pauvre sourire apparut.

Le lendemain, Marie-Ange s'installait chez lui et prenait en main les problèmes matériels entraînés par l'état de Blaise, prostré.

— Il faut engager une infirmière, suggéra la secrétaire.

— Non, fit Marie-Ange. Je m'occuperai de lui.

Marie-Ange écrivit à sa propre mère :

Blaise est immobile, figé dans son fauteuil. Il ne peut plus faire un pas sans aide. Je suis seule à comprendre ce qu'il dit quand il essaie de parler. Il me sonne, de sa chambre, quand il fait tomber son livre. Les journées sont longues, mais je ne me plains pas. Je suis heureuse. Il ne pourra plus jamais se passer de moi. Pour finir, c'est moi qui l'ai !

UN CASSE POUR SYLLA

L'argent lui suait de partout.

Non qu'elle mît une ostentation délibérée à exhiber la fortune trapue, originaire du Moyen-Orient, dont elle disposait. Mais on ne lui avait jamais enseigné le savoir-vivre en France ou en Grande-Bretagne, où elle se trouvait le plus souvent depuis que son mari avait été assassiné. Et elle avait installé, à Paris et à Londres, de véritables palais où l'on dînait dans de la vaisselle d'or devant un bataillon de laquais à la française. Des toiles sans prix ornaient les murs, la piscine intérieure brillait de mille feux, le moindre cendrier était un objet précieux, des vitrines regorgeaient de cyclades, les tapis étaient de ceux sur lesquels on ose à peine marcher ; bref, des architectes d'intérieur avaient créé pour Sylla le cadre qu'elle jugeait approprié à sa sombre beauté et à ses désirs.

Que voulait cette attirante jeune veuve couverte de bijoux ? D'abord, l'Amour. Et la France lui paraissait en être le paradis. Encore fallait-il trouver l'objet.

Elle connaissait les milieux diplomatiques, et

c'est par là qu'elle commença ses invitations. Qui pend un jambon à sa fenêtre n'attend jamais en vain. Surtout quand l'écho des dîners de Sylla se fut répandu. Elle devint assez vite celle par qui il fallait avoir été invité. Elle fut reçue à son tour par ceux qu'elle recherchait. Son trou était fait. Elle dépensait alors en un mois pour ses robes de quoi nourrir dix familles nombreuses pendant un an. Mais elle avait compris que sa richesse fascinait, agissait comme un aimant, y compris sur ceux qui n'avaient rien à en faire.

Le premier à tomber dans ses filets fut un homme politique de bonnes dimensions. Réputation de grand séducteur, conversation brillante, cynisme assorti, il profita d'elle au maximum, acceptant ses cadeaux avec désinvolture. On dit même qu'il ne négligea pas de percevoir une commission sur l'achat d'un Picasso ; mais les gens sont méchants.

Elle en était lassée lorsqu'elle rencontra Paul D., qui la frappa au cœur. C'était lui qu'elle cherchait : un grand garçon un peu hâbleur, gai, qui n'avait pas l'air de la prendre au sérieux avec ses palais et ses richesses. Qui lui disait : « Il faut que tu perdes deux kilos... » Qui la faisait rire...

Oui, cette fois, c'était l'Amour.

Mais Paul, au métier indéterminé, insituable socialement, lui glissait entre les mains. Repoussait énergiquement les boutons de manchette, les cabriolets, les cadeaux plus ou moins somptueux par quoi elle tentait de le ligoter. S'ennuyait dans ses dîners et la basculait sur son lit pour lui faire l'amour pendant qu'elle était en train de s'habiller. Elle hurlait. Il riait.

Un jour, Sylla eut trente ans. Elle voulut faire une fête.

— Non, pas de fête, décréta Paul : on va dîner au bistrot en tête à tête. Enlève tout ça !

Tout ça, c'étaient quelques brillants.

Il lui dit des choses tendres, qu'il l'aimait, qu'il ne l'oublierait jamais, qu'il fallait qu'elle se garde d'un entourage de courtisans où il n'y avait pas un seul cœur sincère.

Puis il lui tendit un écrin qui contenait une émeraude.

Elle resta ahurie : mais qu'est-ce que c'est ? mais comment as-tu fait ? mais...

Il dit : ne demande pas, tais-toi, nous ne nous reverrons peut-être jamais.

Ils ne se sont jamais revus. Le « casse » chez le bijoutier de la place Vendôme, c'était lui.

LE CHARBONNIER EST UN [illegible]

Dans le courant [illegible] M. [illegible] Charbonnier [illegible] de [illegible] qui [illegible] les [illegible] de [illegible] même libellé : « Le Charbonnier [illegible] »

Après deux semaines [illegible] avoir [illegible] l'adresse.

« Un fou, dit ce Charbonnier. Mais enfin, trouvez-moi l'origine de ces messages ! »

Plus facile à dire qu'à faire. Aucune origine n'était décelable. On remua ciel, terre et [illegible]. Changer d'adresse ? [illegible] dit-on. Il y a [illegible] faire.

Le changement fut opéré, entraînant toutes sortes de complications avec les correspondants [illegible].

Huit jours plus tard, un nouveau message arrivait sur la machine : « *Le Charbonnier est un* [illegible] *et un* [illegible] *Il croit qu'il pourra m'échapper.* »

Cette fois, il y avait une adresse d'expéditeur. « Qui êtes-vous ? Que me voulez-vous ? » répondit Le Charbonnier. Mais, en retour, il reçut ces deux lignes : « *Tout vous* [illegible]

« LE CHARBONNIER EST UN SALAUD »

Dans le courrier électronique de M. Le Charbonnier, P-DG de la SCUF, sa secrétaire relevait tous les jours cinq ou six messages portant le même libellé : *« Le Charbonnier est un salaud. »*

Après deux semaines, elle crut devoir en informer l'intéressé.

— Un fou, dit Le Charbonnier. Mais enfin... Trouvez-moi l'origine de ces messages !

Plus facile à dire qu'à faire. Aucune origine n'était décelable. Elle remua ciel, terre et serveur, en vain. Changer d'adresse, lui dit-on, il n'y a rien d'autre à faire.

Le changement fut opéré, entraînant toutes sortes de complications avec les correspondants usuels.

Huit jours plus tard, un nouveau message arrivait sur la machine : *« Le Charbonnier est un salaud, et un imbécile s'il croit qu'il pourra m'échapper. »*

Cette fois, il y avait une adresse d'expéditeur.

« Qui êtes-vous ? Que me voulez-vous ? » répondit Le Charbonnier. Mais, en retour, il reçut ces deux lignes : *« Vous vous trompez d'adresse. Je ne connais pas de Le Charbonnier.* »

Même jeu, le jour suivant, avec un autre expéditeur, et le jour suivant, et le jour suivant... Le président de la SCUF se mit à avoir peur. Se pouvait-il qu'une bande se fût liguée contre lui ? Mais dans quel but ?

Il fit installer des systèmes de sécurité renforcée autour de son bureau et de son domicile, engagea un garde du corps et saisit la police. Laquelle se déclara impuissante. Un *e-mail* n'est pas un délit ; on ne lui adressait aucune menace.

Parce que Le Charbonnier avait des relations, il obtint qu'une enquête fût menée chez chacun des expéditeurs repérés. Il se confirma qu'aucun n'avait eu la moindre relation avec un Le Charbonnier, et que tous niaient lui avoir écrit.

Pendant ce temps-là, le persécuteur persévérait, variant parfois sa formule : *« Le Charbonnier est une crapule... » « Le Charbonnier est un con dangereux... »*

Le Charbonnier en était malade.

Qui était le persécuteur ? C'était une longue histoire, que je vais faire courte. Il s'appelait Romuald. À quarante-cinq ans, il était bien inséré dans une vie professionnelle satisfaisante et une vie privée harmonieuse lorsque, à la suite d'une fusion d'entreprises, il avait été licencié. Ce fut pour lui un choc, tant il s'y attendait peu malgré les rumeurs. Ingénieur électronicien, on le tenait pour l'un des meilleurs éléments de l'entreprise. C'est le nouveau président de la SCUF, Noël Le Charbonnier, qui l'avait exécuté, ajoutant :

— Il nous faut des jeunes... et même des très jeunes ! Les techniques galopent. L'expérience, aujourd'hui, ce n'est plus une valeur...

Romuald avait failli l'injurier mais s'était contenu. Il lui fallait négocier ses indemnités.

Sans travail, il n'était pas à la rue, sa femme était fonctionnaire, régulièrement salariée, ils n'avaient pas de dettes et, grâce à sa qualification, Romuald restait persuadé qu'il se recaserait sans peine. Ses références étaient solides. Sur les conseils de sa femme, il partit quelques jours à la montagne, en revint bronzé, magnifique. Ensuite, il avait pris plaisir à faire travailler les enfants en fin de journée, et à retrouver pour déjeuner d'anciens collègues demeurés en place. Simplement, il avait eu peu à peu la curieuse impression qu'ils le traitaient comme un malade qui risquait de se révéler contagieux. D'ailleurs, tout le monde le traitait comme un malade : ses parents, sa femme, ses amis, qui, il faut bien le dire, ne se précipitaient pas pour lui téléphoner.

Pendant six mois, Romuald a fait tout ce que peut et doit faire un cadre qualifié qui cherche un emploi. Toutes les inscriptions nécessaires, il s'y est plié ; il a écrit plus de cent lettres, a rendu plus de cinquante visites, a repris contact avec toutes ses relations théoriquement bien placées. Méthodique, il n'a rien négligé.

Un soir, plaisantant, il a dit à sa femme qui semblait découragée :

— Je crois que je vais me faire dépanneur d'ordinateurs. On en manque !

— Mais ils ont tous vingt ans ! s'est-elle écriée avant de se mordre les lèvres.

— Eh bien, je serai un vieux dépanneur d'ordinateurs !

Et il a ri.

— Tu n'es pas drôle, a-t-elle répondu.

Le matin, Romuald dépouille le courrier. Des factures et de la publicité qui le mettent en rage. Non, il ne veut pas d'un dictionnaire en douze volumes, ni d'une assurance obsèques, ni d'un abonnement au magazine de l'homme moderne ! Il sort pour aller acheter les journaux, trois ou quatre, qu'il lit jusqu'à la dernière offre d'emploi. Quand sa femme lui a laissé une liste d'achats à faire pour la maison, il s'en va à pied au supermarché. Élodie lui a enseigné qu'il ne faut jamais choisir ce qui est exposé à la hauteur du regard : c'est ce qu'il y a de plus cher, ils le font exprès. Il cherche ses lunettes pour explorer les rayons bas placés, il en a besoin depuis quelque temps, et ce petit signe de vieillissement l'affecte ; d'ailleurs il les oublie partout et se dit : « Je deviens gâteux. »

Élodie déjeune à la cantine de son administration et les enfants à l'école. Il réchauffe ce qu'elle lui a préparé : le temps n'est plus à dépenser au restaurant ; d'ailleurs il a perdu l'appétit. Le sommeil aussi.

L'humeur égale qu'il s'efforce néanmoins d'afficher s'est ébréchée le jour où l'un de ses fils s'est montré insolent. Il avait négligé de se raser :

— T'as l'air d'un chômeur, a dit l'enfant ; d'ailleurs, c'est pas étonnant, vu que tu l'es !

— Tais-toi ! a dit la mère, courroucée. Tu vois bien que ton père est fatigué.

— Fatigué à quoi ? Il tire sa flemme toute la journée.

La gifle est partie, sèche, mais le mal était fait.

Romuald a honte devant sa femme qui assume le poids du ménage et il se demande combien de temps encore elle lui gardera estime et tendresse. Il a tort : elle l'aime. L'ennui est qu'il ne peut plus y croire et qu'il ne cesse de la provoquer pour que lui échappent les paroles désagréables qu'il croit mériter. Mais il réussit seulement à la faire pleurer. Alors il se traite de salaud, de nul, d'incapable, de mauvais père, de mauvais mari, et il se verse un nouveau verre de vin rouge dont il commence à abuser.

Un jour, le téléphone a sonné. C'était un vieux copain qui avait monté sa propre boîte d'informatique :

— Tu es toujours dans la merde ? Viens me voir.

Romuald accourut, rasé de près.

— C'est pas glorieux, je te préviens, a expliqué l'autre ; mais enfin, c'est de quoi bouffer tous les jours. J'ai une équipe de quatre petits gars qui vont dépanner les ordinateurs à domicile. Il y a une de ces demandes, tu ne croiras pas, depuis Internet ! Un de mes gars vient de me quitter, le meilleur, fauché par un concurrent qui paie davantage. Si tu veux la place, elle est à toi. C'est facile : il faut être poli avec la clientèle, pas traiter de cons les utilisateurs qui te font revenir pour la troisième fois parce qu'ils ont oublié ce que tu leur as montré... Tu le veux, le job, ou tu ne le veux pas ? Si tu le veux, il y a quelqu'un qui attend cet après-midi qu'on vienne mettre de la mémoire dans son Mac !

— Je prends, a répondu Romuald, la voix un peu étranglée, je prends tout de suite.

— OK. Voici l'adresse où on t'attend. Le carnet de factures. Tu fais payer immédiatement : 250 francs pour le déplacement d'une heure, la moitié sera pour toi, et tu reviens après pour avoir le programme de la semaine. Allez, courage, mon vieux, c'est la chance qui revient !

Romuald est rentré chez lui à pied en passant

par un pont de la Seine. Un instant, il a eu envie de s'y jeter, il s'est accoudé, a imaginé la suite, jusqu'à sa notice nécrologique : on nous prie d'annoncer... Il s'est ressaisi en pensant à sa femme.

Le soir, quand elle est rentrée, à peine a-t-elle glissé la clé dans la serrure qu'il a lancé :

— J'ai trouvé du travail !...

Elle lui a sauté au cou :

— Où ça ?

— Chez un ami d'autrefois... C'est mal payé, mais, en attendant...

Elle pleurait, l'embrassait, lui caressait le visage.

— Où sont les enfants ? a-t-il dit pour cacher son émotion.

— À traîner chez un copain, comme d'habitude.

— Oui, eh bien, c'est fini, je les veux ici à 6 heures, tous les jours !

Romuald a rétabli son autorité.

Mais, hors de chez lui, c'est un homme humilié qui court de client en client, d'ordinateur en ordinateur pour corriger les erreurs de manipulation d'utilisateurs ignorants.

Alors, partout où il passe, quand il a achevé ce qu'on attendait de lui, il envoie un *e-mail* :

« Le Charbonnier, président de la SCUF, est un salaud. »

Faible vengeance ! Mais, au moins, il sait qu'il lui empoisonne la vie.

LA FIÈVRE VERTE

La fièvre verte a saisi Solius vers cinquante ans. Accès léger d'abord, il s'est refusé à trop y penser. Puis il s'est dit : « C'est l'âge. Je vieillis... » Mais, progressivement, elle s'est installée pour ne plus le lâcher : il veut entrer à l'Académie française.

Jusqu'à ce que le mal se déclare, il ne pensait qu'à son œuvre littéraire, généralement bien accueillie, même si une coterie d'intellectuels la boudent. Bien sûr, il n'est ni Proust ni Kafka, mais il n'y prétend pas. Il sait raconter une histoire, donner du plaisir à ses lecteurs, il écrit une belle langue : combien sont-ils à pouvoir en dire autant ?

Dans sa jeunesse, il a eu, c'est vrai, d'autres ambitions. Écrire le livre qui change le monde, comme disait Rimbaud. Arrive toujours le moment où l'on en revient et où il faut se contenter d'écrire le livre que l'on peut, bien heureux s'il a du succès.

Solius en a assez pour faire des jaloux, mais non pour se sentir tout à fait accompli. Quelque chose le taraude, mais quoi ? C'est l'élection d'un grand médiocre par la Vieille Maison qui l'a mis sur la voie : « Pourquoi lui et pas toi ? lui a dit un ami en plaisantant à demi. L'habit vert t'irait très bien ! »

En vérité, il l'a pensé, mais sans oser se l'avouer.

L'idée fait son chemin dans son esprit et commence à conditionner sa vie. Première étape : compter ceux qui pourraient éventuellement être favorables à sa candidature. Il en voit deux ou trois et va jusqu'à se déclarer auprès d'eux. Séparément. Ce faisant, en dépit de leur courtoisie, il comprend que ceux-ci, à l'exception d'un seul, n'appartiennent pas au bon clan, celui des « grands électeurs », qui sait pousser les feux.

Autrefois, l'élection d'un académicien se faisait dans le salon de Mme Verdurin ou de la comtesse Greffulhe, mais les salons n'existent plus. Quelle voie emprunter ? Solius se renseigne, et, liste à la main, part en campagne. D'abord, il accepte de donner un article par mois à un journal bien-pensant qui le sollicite depuis longtemps. Ensuite, troublante coïncidence, il consacre la plupart de ses chroniques à l'ouvrage d'un académicien. La manœuvre est assurément un peu voyante, et Solius fait sourire. Mais, au bout d'un an, il a reçu huit lettres chaleureuses de remerciement. Au moins ces messieurs connaissent-ils maintenant son nom et l'associent-ils à quelque chose d'agréable. Ce n'est pas mal joué, encore que très insuffisant.

Il se fait inviter à dîner par une hôtesse qui croit encore chic d'avoir un académicien à sa droite et un ambassadeur à sa gauche – à moins que ce ne soit l'inverse – et il réussit à échanger quelques mots avec l'académicien, charmant, qui l'appelle « jeune homme » et l'assure de sa sympathie.

— Mais ne vous pressez pas, jeune homme, surtout ne vous pressez pas ! Quand on se presse devant notre porte, cela nous rappelle que nous ne sommes pas immortels...

Il soupire et fait basculer sa tasse de café sur son plastron blanc. Solius se précipite.

— Je suis gâteux, lui confie le charmant vieillard. Inutile de me le dire, je le sais !

Celui-là lui sera-t-il favorable, le jour venu ? Probablement. Pourvu qu'il vive jusque-là...

Trois ans passent pendant lesquels, tout en travaillant à un nouvel ouvrage, Solius poursuit ses travaux d'approche.

Vient le jour où l'un de ses supporters éventuels lui demande :

— Qu'est-ce que vous avez fait à Druon ?

— À Druon ? Rien. Je ne le connais pas. Pourquoi ?

— Parce qu'il vous a dans le nez. Et autant

que vous le sachiez : on n'entre pas à l'Académie quand Druon ne veut pas.

— Mais qu'est-ce que je peux faire ?

— Je ne sais pas. Je vous aurai prévenu.

Le malheureux Solius est accablé.

Tant d'efforts, tant de démarches, tant d'espoirs...

Il cherche en vain dans ses souvenirs ce qu'il a pu faire à Druon. « Dans un vieil article, peut-être, un coup de griffe ? Non, il ne peut pas être aussi mesquin, il y a autre chose... On lui a peut-être appris que, dans ma jeunesse, j'ai été un peu communiste sur les bords. Mais, après tout, lui aussi ! »

Il demande conseil, se démène, ne trouve pas la brèche par où accéder à Druon.

Un fauteuil s'est libéré à la suite d'un décès ; une élection a été programmée. Solius a hésité, puis il s'est dit : « J'y vais ! C'est le moment ou jamais. Mes concurrents ne sont pas dangereux. » Et il s'est jeté à l'eau, c'est-à-dire qu'il s'est officiellement déclaré candidat au fauteuil vacant et qu'il fait les visites d'usage.

Il est plein d'optimisme lorsque, au tout dernier moment, il apprend qu'un nouveau candidat est apparu, que nul n'attendait. Un bon, un excellent candidat.

— Mais d'où sort-il ? demande Solius à ses amis.

— De la poche de Druon, répondent-ils d'un commun accord. On vous l'avait bien dit, qu'il ne voulait pas de vous. Vous auriez dû attendre un peu... Tirer cela au clair...

Attendre, Solius ne fait que ça ! Battu, il a la faculté de se représenter. Zola n'a-t-il pas été battu quarante-neuf fois ? La fièvre verte ne l'a pas quitté, au contraire, après être passé si près du but...

Sa prochaine chronique sera un éloge de Maurice Druon, honneur des lettres françaises.

L'HOMME BLESSÉ

Mes jours sont comptés.

Les médecins ne veulent pas en convenir, mais j'en ai une vive conscience : mon corps va me lâcher. Un accident stupide, j'ai doublé un camion sans m'assurer que la voie était libre. On m'a ramassé en morceaux.

Il m'arrive d'être stupide.

Dans ce lit d'hôpital où je suis cloué, je ne souffre pas ; on me bourre de morphine. Je me sens dans une sorte de brouillard assez confortable, en route vers la mort.

Je n'ai pas peur. Je sais qu'il n'y a rien après la mort, que personne ne me demandera des comptes, mais, avant de rendre mon tablier, je voudrais être en règle avec moi-même.

Je ne suis pas un salaud, mais je ne suis pas non plus quelqu'un de bien. Quand je me remémore ma vie, j'y vois un lot de petites lâchetés qui ne me font pas honneur. Je me demande si tout le monde en commet, si c'est inévitable, si c'est la vie qui est ainsi faite pour chacun.

Combien de fois ai-je remercié pour l'envoi d'un livre nul en le déclarant excellent, vraiment excellent ? Combien de fois ai-je menti à ma femme au sujet d'un prétendu voyage d'affaires ? Quel acharnement j'ai mis à évincer mon associé auquel je devais une bonne part de ma réussite ! Il en a eu un infarctus... Avec quelle hypocrisie j'affirme à ma mère que je n'ai pas le temps de venir la voir parce qu'elle est loin de Paris ? Ma mère ! Et ce copain qui avait tellement besoin de cinquante mille francs et à qui je les ai refusés, alors que je pouvais parfaitement lui venir en aide... Et cette jeune femme que j'ai plaquée sans un mot...

En affaires, j'ai la réputation d'être dur, mais là, rien à dire : en affaires, on est dur ou on se plante. Autrement, je passe pour un type plutôt gentil, plutôt généreux. Or moi, je sais que je ne suis ni gentil ni généreux, que je fais juste ce qu'il faut pour soigner mon image.

Qu'est-ce qui m'est arrivé ? J'ai été pourtant un bon jeune homme plein de bonnes intentions. Quelle est cette corruption qui vous ronge, finit par entacher tous vos actes ? C'est cela qu'on appelle *vivre* ?

Si jamais je m'en tire... Mais qu'est-ce que je raconte ? J'ai fait ma suprême connerie en doublant ce camion, et pourquoi ? Poussé par la vanité virile qui fait dix mille morts par an sur les routes. Parce que j'étais fier de ma BMW, de sa puissance, comme si je l'avais construite de mes mains.

Non, j'ai beau chercher, je ne trouve rien de respectable en moi. Pas d'ignominie non plus : je n'ai rien commis d'épouvantable. Juste le train-train des menues bassesses quotidiennes, mon misérable petit tas de secrets...

Le blessé poussa un cri. Une infirmière s'approcha et dit :

— Il a perdu connaisance.

Il se sentit devenir léger, léger. Quelqu'un lui avait pris la main. Il demanda :

— Qui êtes-vous ?

— Ton ange gardien.

— Il est bien temps ! s'écria-t-il.

— Je ne fais pas de miracle, dit l'ange, offensé. Au-delà de 140 kilomètres à l'heure, je déclare forfait.

Ils voguaient maintenant sur un nuage.

— Où m'emmènes-tu ?

— Nulle part, répondit l'ange. Tu vas te dissoudre dans l'atmosphère. N'aie pas peur, tu ne sentiras rien.

— Et toi ?

— Moi, je rentre à la maison. Allez, salut !

Là-dessus, le blessé rendit son dernier soupir.

UN PÈRE EN TROP

La nouvelle éclata dans la matinée : Alice Bréhaut vendait. La Bourse salua : l'action Bréhaut SA perdit quatre points en une séance.

La stupeur s'ensuivit. Les sœurs Bréhaut, Alice et Léa, la trentaine (une année les séparait), étaient connues dans le monde des affaires. Leur père, Léon Bréhaut, avait été numéro un dans l'industrie des cosmétiques. Il venait de mourir en laissant une entreprise florissante à ses deux filles et en émettant le vœu que Léa prenne sa succession.

Cela ne souffrit aucune discussion. Les deux sœurs s'entendaient bien, tout en ne partageant aucun goût. L'une aimait les arts, les artistes et les mers chaudes ; le seul mot de « bilan » la faisait bâiller. L'autre assurait déjà la direction commerciale de Bréhaut SA, et ses capacités de manager s'y affirmaient. Bien sûr, la responsabilité de Bréhaut SA exigerait d'autres talents, mais on pensait généralement, dans la maison, qu'elle saurait s'entourer. Léa était une femme de tête.

La seule difficulté vint de leur mère qui se

jugeait flouée dans l'héritage, bien que Léon Bréhaut lui eût légué une superbe maison. Mais elle avait été une épouse notoirement légère, le couple vivait séparé, et, sur les conseils de son avocat, elle renonça à attaquer le testament en échange d'une somme coquette que Léa et Alice concédèrent à regret, quoique pour des raisons différentes.

Les deux filles détestaient leur mère autant que l'on peut détester sa mère, c'est-à-dire avec violence.

Léa lui reprochait d'avoir été une petite fille mal aimée, laissée aux mains de gouvernantes successives. Ses dents poussaient mal et dépa-raient son beau visage. Elle aurait eu besoin, comme beaucoup d'enfants, d'un appareil adé-quat. Cela avait été négligé. Plus tard, elle dut se soumettre à des opérations pénibles. Elle ne pardonna jamais. Pas plus qu'elle ne pardonna à cette mère des amants dont elle tenait une comp-tabilité minutieuse, se demandant comment son père pouvait rester aveugle à ce qui lui crevait les yeux... Mais était-il aveugle ?

Alice, c'était autre chose. Il était patent que sa mère lui préférait Léa et son père aussi, bien qu'il s'efforçât, lui, de n'en rien laisser paraître. Elle avait passé son enfance à se perdre en conjectures sur les raisons de cette préférence affichée et à multiplier les tentatives de séduc-tion avortées. Alice était une jolie créature et le savait, elle faisait de bonnes études ; de quoi la punissait-on ?

C'est une gouvernante, la dernière, qui mangea le morceau. Un jour que la petite, qui avait maintenant seize ans, sanglotait après avoir subi une rebuffade, elle n'y tint plus.

— Je vais te révéler un secret, lui dit-elle, si tu me promets de ne dire à personne que tu le tiens de moi. Je te le dis parce que je n'en peux plus de te voir malheureuse alors que tu es une bonne et gentille fille... Voilà : tes parents ne t'aiment pas parce que tu n'es pas la fille de ton père... Ouf ! Je l'ai dit...

Alice resta d'abord stupéfaite.

— Et je suis la fille de qui ?

— Ça, je ne sais pas.

— Si, vous le savez, je suis sûre que vous le savez !

— Non. Je n'étais pas encore dans la maison.

Elles étaient assises toutes deux dans le jardin, au bord de la rivière. Le chien, qui ne la quittait pas, couché aux pieds d'Alice. La gouvernante tricotant une chaussette rouge. Léa trottant plus loin sur son cheval... Tout cela, qui ne quitterait jamais la mémoire d'Alice, lui semblait irréel dans sa tranquillité alors qu'un orage la dévastait, elle...

De ce jour, Alice n'eut plus qu'une obsession : savoir. Mais comment faire ? Un soir que les deux sœurs étaient seules dans le grand appartement pompeux de Neuilly, les parents dînant au-dehors, elle se jeta à l'eau :

— Tu sais, dit-elle, que Papa n'est pas mon père ?

Léa dit non, oui, elle ne savait pas positivement, mais elle se doutait qu'il y avait quelque chose de louche, comme ça, dans la famille...

— C'est qui, demanda Alice, c'est qui, mon père ?

Léa n'en avait pas la moindre idée.

— Il y a seize ans, dix-sept ans. C'est loin, tout ça !

Le temps passa sans qu'Alice osât jamais poser la question à sa mère ni à celui qu'elle continuait à appeler « Papa ». Les deux filles poursuivirent leurs études, eurent l'une et l'autre une vie sentimentale assez agitée. Elles cessèrent pratiquement de voir leur mère, mais restèrent attachées au père. D'ailleurs, Léa travaillait avec lui et Alice ne désespérait pas de lui extraire un jour la vérité.

Déjà très malade d'un cancer, elles venaient le voir tous les jours lorsque Alice crut pouvoir le surprendre :

— Dis-moi qui c'est, Papa, je t'en supplie... Je vais en crever, si je ne le sais jamais !

Harcelé, épuisé, il murmura que c'était peut-être un domestique dont il avait oublié le nom.

Et il s'éteignit peu après, laissant ses filles

terrassées, désemparées. Après tout, elles l'aimaient.

Quand toutes les péripéties concernant l'héritage furent réglées, Alice se présenta un matin chez sa mère. Elle la trouva débraillée, décoiffée, et se dit qu'elle devait boire.

— Tu te souviens que j'existe ? lui dit sa mère. À quoi est-ce que je suis redevable de cette attention ?

— Je veux le nom de mon père.

— Je t'ai déjà dit qu'il n'en était pas question !

— Mais pourquoi ? Pourquoi ? Tu en as tellement honte ? C'était le valet de chambre, n'est-ce pas ?

La mère resta un instant interdite.

— Qui t'a dit ça ?

— Ton mari. Avant de mourir.

— Ce n'est pas possible ! Il n'a pas dit ça ? Va-t'en, sors d'ici, laisse-moi...

Elle la jeta dehors.

Alice se précipita chez sa sœur, dans les bureaux de Bréhaut SA. Léa présidait un conseil auquel elle l'arracha.

— Mais qu'est-ce qui se passe ? dit-elle. Tu as l'air bouleversé...

— Je sais, dit Alice, je sais qui c'est ! Mon père... est le valet de chambre !

— Bien sûr, dit Léa, c'est Victor. Je m'en doutais.

— Tu le savais et tu ne m'as rien dit ? Tu m'as vue me torturer... passer toutes ces années... Mais il faut que je le retrouve, maintenant... Il s'appelle comment ?

— Je n'en sais rien, répondit Léa. Mais écoute-moi... Est-ce qu'il est vraiment nécessaire de proclamer que tu es la fille d'un valet de chambre ? Que notre mère couchait avec les domestiques ? De laver publiquement le linge sale en famille ?

— Mais je ne veux pas le proclamer... Je... Enfin, Léa, c'est mon père, mon père, essaie de comprendre !

— Je comprends que tu es folle, répliqua sèchement Léa. Nous portons le même nom : ne le déshonore pas. Laisse-moi, maintenant, j'ai à faire.

C'est alors qu'Alice, bouillante d'émotion, décida de vendre la totalité de ses actions de la Bréhaut SA pour mettre Léa en difficulté.

Puis elle plaça une équipe de détectives sur la piste d'un certain Victor qui aurait été valet de chambre chez ses parents dans les années soixante-dix. On ne renonce jamais à retrouver son père.

Les recherches furent fécondes : Victor finit par être localisé dans un petit café où il venait, tous les samedis, jouer au billard. C'était un homme d'une soixantaine d'années, qui avait bon aspect, mais Alice hésita longtemps avant de l'aborder. Enfin, un samedi, elle s'approcha de sa table :

— Vous avez bien été au service de M. et Mme Bréhaut, il y a quelques années ?

— Oui, répondit Victor. Pourquoi ? Ça vous intéresse ?

— C'est-à-dire... Vous avez eu des relations... étroites avec Mme Bréhaut, n'est-ce pas ?

Il eut un regard méfiant.

— Ça, ma petite dame, ça ne regarde personne.

— Même si je vous dis que... que je suis votre fille ?

Il se leva brusquement, faisant vaciller son verre.

— Je vous répondrai que vous vous trompez. Ce n'est pas moi. C'est un autre !

— Ah, s'écria Alice, effondrée, ce n'est pas possible !

Et elle se mit à pleurer.

— Ne vous mettez pas dans un état pareil, madame, fit Victor, embarrassé. Qu'est-ce que je peux faire ?

— Vous pouvez me dire la vérité, si vous la savez.

Victor réfléchit un instant.

— Écoutez... Votre mère me fait une pension

mensuelle de 10 000 francs depuis seize ans pour que je ne la dise à personne. J'ai donné ma parole. Je suis un honnête homme !

— Une pension ? balbutia Alice. Vous avez fait du chantage ! C'est ça ?

— Appelez ça comme vous voulez. Elle disait : « Victor, personne ne doit savoir, jamais, sinon je me tue... » Elle en était bien capable.

Il y eut un long silence. Puis Alice se leva :

— Il faut que je digère tout ça... Je reviendrai.

— Non, dit-il, je vous en prie, ne revenez pas ! Les gens sont bavards, par ici. Si elle apprenait que je vous ai vue...

— Ne vous inquiétez pas, fit Alice, méprisante. Aussi longtemps que je vivrai, votre pension vous sera versée.

Un grand raout fut organisé pour le trentième anniversaire de Bréhaut SA. À travers maints avocats, le différend entre les deux sœurs avait été réglé au mieux des intérêts d'Alice. Léa ne voulait pas d'histoires, le moins d'histoires possible, surtout publiques. C'était mauvais pour la physionomie de l'entreprise.

Elle téléphona à Alice pour s'assurer qu'elle serait à la fête et qu'elle aurait le souci de représenter dignement la famille. Elle lui demanda :

— Tu vas bien ? On ne te voit plus !

— Très bien, très-très bien.

— Où en es-tu de tes recherches ?

— Elles ont abouti. J'ai retrouvé mon père. C'est un monsieur très élégant, très fin, qui est maintenant à la retraite... Pas du tout ce que tu croyais. Il vit en Suisse...

Victor, lui, a changé de café. Il ne tient pas à revoir cette folle qui l'appelle « Papa ».

[illegible]

[illegible]ALBINE

[illegible]

Albine est l'école du salon Montaigne. Les derniers grands coiffeurs parisiens [illegible] ciseaux est aussi fameux à Tokyo [illegible] que celui de [illegible] à Milan. Seuls deux [illegible] les [illegible] anges [illegible] sans quoi la technique n'est rien pour sculpter une coiffure.

Albine a [illegible] a toujours eu, depuis le temps où elle taillait dans la perruque de ses poupées et nouait en volutes la chevelure d'argent de sa grand-mère. Ses parents tenaient une étrange papeterie à Montrouge. Ils auraient voulu que leur fille fît des études, mais s'en sont [illegible]. Albine savait sa vocation. Avec ses yeux verts très ronds et sa grâce adolescente, elle ressemblait à un jeune chat.

Après l'apprentissage de rigueur, elle fit ses premières armes dans un grand salon du moment, celui de Carlo, un italien impétueux dont elle observait chaque geste. Albine commença par ramasser les épingles sans quitter des yeux Carlo.

À l'époque, la coiffeuse apprenait à une

LE *HIC* D'ALBINE

Albine est l'étoile du salon Montaigne, l'un des derniers grands coiffeurs parisiens. Son coup de ciseaux est aussi fameux, à Tokyo et à Boston, que celui de Luigi qui travaille à Milan. Seuls des Français et des Italiens ont au bout des doigts ce *hic*, sans quoi la technique n'est rien, pour sculpter une coiffure.

Albine a le *hic*. Elle l'a toujours eu, depuis le temps où elle taillait dans la perruque de ses poupées et nouait en volutes la chevelure d'argent de sa grand-mère. Ses parents tenaient une librairie-papeterie à Montrouge. Ils auraient voulu que leur fille fît des études, mais sitôt son brevet acquis, Albine suivit sa vocation. Avec ses yeux verts bien fendus et sa grâce adolescente, elle ressemblait à un jeune chat.

Après l'apprentissage de rigueur, elle fit ses premières armes dans un grand salon du moment, celui de Carlo, un Italien impétueux dont elle observait chaque geste. Albine commença par ramasser les épingles sans quitter des yeux Carlo.

À l'époque, la coiffeuse appartenait à une

espèce inconnue. Manucures, shampouineuses, soit ; coiffeuses, impensable ! Albine se morfondait lorsqu'un certain Georges, qui coiffait la femme du président de la République, fit sensation en introduisant chez lui deux jeunes coiffeuses dont la Présidente se déclara enchantée.

Quand Albine eut vent de cette grande première, elle décida de tenter sa chance. Carlo, macho dans l'âme, la lui refusa, outragé. Quoi ! cet art suprême, la coiffure, entre des mains de femme ? Jamais ! Il en fit une grosse colère. Albine refoula ses larmes et s'en fut bravement solliciter un emploi chez Georges.

Celui-là avait du nez. Il mit Albine à l'épreuve sur la tête de la caissière et, satisfait du résultat, engagea la jeune fille. Conditions habituelles : un tout petit fixe, un pourcentage sur chaque cliente, et les pourboires pour elle.

C'est ainsi qu'Albine commença sa carrière. Le métier était dur. Debout toute la journée, avec une pause brève vers une heure pour avaler un sandwich et un café ; harcelée par la directrice pour qu'elle presse le mouvement ; une demi-heure par mise en plis au maximum : il fallait faire du chiffre... Quelquefois, le soir, en repartant par le métro, les jambes lui rentraient dans le corps. Sa mère, soucieuse, la massait, disait : attention, c'est comme ça qu'on attrape des varices...

Les clientes, Albine avait appris à connaître la

race chez Carlo. Pour une femme exacte et gentille, au pourboire large, qui disait en partant : « C'est très bien, merci », il y avait une folle et une garce. Les folles l'embrassaient, racontaient leur vie et leurs amours, voulaient changer de couleur chaque semaine, disaient des choses telles que : « Quand serez-vous en vacances ? Vous ne partez pas ? Vous en avez de la chance ! Quand je pense que je suis obligée de suivre mon mari aux Bahamas ! Moi qui aime tellement Paris en août ! » Souvent, elles avaient un petit chien hargneux sur les genoux, avec lequel il fallait composer... Les garces étaient odieuses, souvent en retard, mais ne supportant pas d'attendre une minute, disant à peine bonjour, fauchant quelquefois les rouleaux, les voilettes, les peignes, traitant le personnel comme leurs bonnes portugaises – c'est dire.

D'abord Albine servit la clientèle de passage, beaucoup d'étrangères, puis une fidèle de la maison fiança sa fille et souhaita qu'Albine réalisât la coiffure de la mariée. La jeune personne avait une forêt de cheveux blonds en désordre. Albine en fit un chef-d'œuvre piqué de fleurs blanches. Il fut photographié dans *Vogue*.

C'est à partir de là que la réputation de la petite coiffeuse grandit et qu'elle se constitua une clientèle attitrée. Saint Laurent l'exigea pour ses mannequins, des têtes princières sollicitèrent son coup de ciseaux, on l'appela au Brésil, au

Japon, elle suivit à New York pour quarante-huit heures une grande actrice en représentation qui n'aurait su se passer d'elle. Pendant ces voyages, elle ne voyait rien que des chambres d'hôtel, des restaurants...

« Raconte... », lui disait son père quand elle rentrait avec un petit cadeau acheté à son intention à l'aéroport. Mais elle n'avait rien à raconter. Elle était fourbue. Fourbue et fière.

Puis Georges, qui avait vieilli, ferma sa maison. La clientèle d'Albine la suivit presque tout entière au salon Montaigne qu'un groupe américain de cosmétiques venait de racheter. Là, le patron n'était pas du métier. Cet administratif se crut dans un harem et se mit à laisser traîner ses mains là où il ne fallait pas. Les filles se dérobaient, furieuses mais craintives. Une insolente, coincée dans une cabine, avertit la directrice du salon que, si cela se répétait, elle déposerait plainte pour harcèlement sexuel. Elle fut licenciée le lendemain, et le butor remplacé par un homosexuel charmant et plus approprié. Le calme revint dans la communauté des filles.

Parmi ses compagnes, Albine avait noué quelques relations affectueuses, mais une hiérarchie subtile empêchait qu'elles fussent intimes hors des heures de travail.

Sa mère se désolait : « Tu es avec nous tous les soirs, ce n'est pas gai à ton âge... Jolie comme tu es, tu devrais trouver un gentil garçon, avoir des enfants... C'est bien beau, les cheveux, mais ça ne remplace pas un homme... »

Non, ce n'était pas gai. Pas triste non plus. Les garçons, c'est surfait ; elle en avait connus, fallait voir : des mecs qu'il faut servir à table, elle qui avait tout Paris entre ses mains, que les magazines photographiaient...

L'un d'eux, cependant, l'avait troublée : rencontré chez une cliente, une vedette de l'écran qu'elle coiffait à domicile, avec cachet en conséquence. La quarantaine, carré, de beaux yeux, avec des mains magiques, disait la cliente pendant qu'il la malaxait : « Vous devriez le consulter pour vos jambes. » Elle le consulta.

Il était kinésithérapeute : cabinet en ville, belle clientèle, mais qui l'occupait tard le soir jusqu'à des dix heures ; comment voulez-vous avoir une vie privée avec ça ?

Six mois plus tard, ils étaient mariés et heureux de l'être. Chacun comprenait le métier de l'autre, cette étrange relation qui s'établit avec des gens que l'on tripote de la tête aux pieds, qui se livrent à vous, confiants, désarmés, puis reprennent leurs distances dès qu'ils sont rhabillés.

Le drame éclata le jour où Albine annonça au salon Montaigne qu'elle allait avoir un enfant. La directrice du salon suffoqua : « C'est impossible, vous ne pouvez pas faire ça !... Je ne peux pas vous en empêcher, la loi vous protège, mais sachez que vous allez perdre toute votre clientèle pendant votre absence.

— J'en referai une, répondit Albine.

— On croit ça ! Mais les beaux jours des grands coiffeurs sont passés, ma petite... Pour l'instant, Madame Raucourt vous attend. Allez, nous en reparlerons... »

Mme Raucourt était la terreur du salon. Jamais contente, jamais à l'heure, parlant fort quand elle ne piaillait pas dans son portable, déchirant une page par-ci par-là dans les magazines qu'elle feuilletait, importunant ses voisines de sa fumée, et nantie de surcroît d'un irascible petit chien.

Elle était là, trépignant, le pédicure à ses pieds, son portable à l'oreille, son chien sur les genoux, lequel se déchaîna en voyant Albine.

— Eh bien, Albine, je vous attends. Regardez ! Je frise, c'est ridicule, qu'est-ce que vous m'avez fait ? Si on ne peut plus compter sur vous, je demanderai Philippe la prochaine fois...

— J'ai été retenue chez un médecin, dit Albine.

— Pourquoi ? Vous êtes malade ?

— Non. J'attends un enfant.

— Ah, c'est pour ça que Chichi aboie ! Il a horreur des femmes enceintes ; il les sent, cet amour : vous devez avoir une odeur...

Albine avait sorti ses ciseaux d'une pochette. Soudain, elle les glissa dans la toison du chien et en coupa d'une main preste une grosse touffe de poils.

— Mais qu'est-ce que vous faites ? Vous êtes folle, ma petite ! glapit Mme Raucourt, horrifiée.

Albine renouvela alors l'opération sur la tête de Mme Raucourt, qui hurla.

Tous les regards rivés sur la scène se tournèrent vers la directrice du salon qui se précipitait.

— Regardez, gémit Mme Raucourt, regardez ce que cette fille a osé faire ! Mords-la, Chichi, mords-la !

— Vous, ordonna la directrice à Albine en l'empoignant rudement par le bras, sortez d'ici ! Allez m'attendre dans mon bureau...

— J'y vais, madame, j'y vais. Mais j'ai encore quelque chose à faire, dit Albine.

Et, plantant ses ciseaux dans les mèches décolorées de la directrice, elle en coupa quinze centimètres au ras du crâne.

... Albine a eu un bébé superbe. Elle est heureuse avec son kinési. Elle ne coiffe plus qu'à domicile, des femmes de son choix qui n'ont ni chien, ni portable, ni chagrins d'amour à lui faire partager. Elle s'est promis de ne plus jamais s'employer dans un salon.

QUE FAIRE DE PLATON ?

Tout avait commencé par un tube de pâte dentifrice.

Ce matin-là, Pierre se brossait les dents au-dessus du lavabo de la salle de bains en écoutant les informations de sept heures. Douce, sa compagne, somnolait dans le grand lit en désordre, témoin des ébats de la nuit. Un rai de lumière lui caressait le visage. La radio annonçait une belle journée de printemps sur tout le territoire. « Je vais mettre mon nouveau petit tailleur bleu », se dit Douce dans son demi-sommeil.

D'un grand coup de langue, Platon, le labrador noir, lui signifia qu'il était l'heure de le sortir, mais Pierre surgit, nu, saisit au vol un pantalon, une chemise, une veste, chercha partout les clefs de sa voiture, donna enfin à Douce un preste baiser au coin de la bouche, et dit : « Je suis en retard, n'oublie pas de sortir Platon... À ce soir, mon amour ! » Comme si elle oubliait jamais quelque chose... Mais c'était chez lui un tic de langage : « N'oublie pas de me rappeler que je dois aller chez le dentiste... » « N'oublie pas qu'on se retrouvera au Récamier... »

Il en avait quelques-uns.

Platon le suivit jusqu'à la porte puis, déçu, revint supplier Douce.

Elle se leva, constata qu'une fois de plus la chambre était un champ de bataille : vêtements éparpillés, placards ouverts, voilage coincé dans la fenêtre. Le désordre, c'était la marque de Pierre.

Elle passa dans la salle de bains, scruta d'un œil critique son visage dans la glace : un joli visage bien construit, une ridule au coin des lèvres qui hésitait à se creuser, la peau lisse, mais l'ombre d'un cerne sous les yeux de biche... Elle soupira, planta une longue épingle dans ses cheveux bruns pour les retenir au sommet de sa tête.

Une douche la réveilla. Mais la serviette de bain abandonnée par Pierre était trempée, l'autre avait glissé dans la baignoire. Le tube de pâte dentifrice était ouvert, décapuchonné. « Encore ! se dit Douce. C'est incroyable qu'il soit incapable de le refermer. Et ça m'agace ! Ça m'agace ! »

Platon gémissait doucement. Douce se hâta d'enfiler un jean et un blouson. Elle chercha la laisse. Où Pierre avait-il encore fourré la laisse ?

Les Cordier habitaient sur le bois de Vincennes. Douce lâcha Platon qui se mit à galoper avant une première station, puis à courir derrière les oiseaux, à aller, venir...

De son côté, Pierre, englué dans la circulation intense du matin, trépignait. Il suffit de partir un peu tard et la première vague de voitures s'agglutine... On l'attendait à l'autre bout de Paris, mais les Cordier ne se décidaient pas à quitter Vincennes, à cause de Platon. Ce chien, que Pierre avait acheté tout petit, était le symbole de leur union. Ils l'avaient baptisé Platon à cause du philosophe selon lequel l'âme des humains est coupée en deux moitiés, chacune vaquant à la recherche de celle dont elle a été amputée. Alors c'est la fusion dans l'effervescence de la jouissance... Bref, Platon disait quelque chose dans ce genre-là. Et eux aussi s'étaient retrouvés dans une union parfaite après avoir erré. Trois ans d'amour fou, d'émerveillement réciproque, d'appétit non rassasié l'un vis-à-vis de l'autre, de cette indifférence au reste de l'humanité dans laquelle plonge une grande passion partagée, d'un sentiment délicieux, celui d'être élus du dieu de l'Amour. Un amour souverain.

Bloqué dans sa voiture, Pierre alluma son portable pour appeler Douce. La ligne était occupée. Les lignes de Douce étaient toujours occupées : à la maison, sur son portable, à la boutique. Elle téléphonait énormément. Mais, ce matin-là, Pierre avait besoin d'entendre la voix de sa femme. L'impression à peine perceptible d'une fêlure dans leur harmonie l'avait effleuré quand il l'avait quittée. Impatient, il attendit d'être mis en ligne pour lui dire qu'il l'aimait. Et que, tout de même, elle exagérait avec le téléphone...

Douce, chargée de la communication chez un grand couturier caractériel, croulait sous le travail. Il fallait supporter les caprices de l'artiste. Mais ce qui lui pesait tant avant qu'elle eût rencontré Pierre, ces humeurs, ces lubies, lui était devenu léger. Sa vie, sa tête étaient ailleurs. Quand le patron s'emballait, elle s'en ouvrait auprès de Platon, couché sous son bureau, entre deux coups de téléphone aux journalistes, au brodeur, à un photographe. Sociable, diplomate, elle faisait bien son métier dans un climat toujours chargé d'électricité. Pas le temps de méditer.

Ce jour-là, cependant, elle se surprit par trois fois à évoquer le tube de pâte dentifrice, l'éternelle distraction de Pierre, son désordre... Comment fait-il dans son travail ? Elle se promit de le gourmander fermement.

C'est précisément parce qu'il était absorbé par son activité – chercheur dans un laboratoire important – que Pierre vivait distrait. Il ne pensait qu'à ses molécules – et à Douce quand il prenait le temps d'avaler un café. Au début de leur liaison, il la fascinait par cette façon de se concentrer sur un sujet – elle, de préférence –, mais il pouvait aussi bien parler de Rimbaud ou d'informatique sans en démordre. Sa pensée pouvait se déployer comme une série de poupées gigognes, emboîtées les unes dans les autres ; ou alors il se taisait complètement : il était ailleurs.

Habituée à la fréquentation d'hommes plus ordinaires, Douce avait été subjuguée avant de commencer à s'impatienter – mais ce fut bien plus tard...

Pour sa part, Pierre, généralement nanti de bécasses ravissantes et volubiles, capables de débiter tous les lieux communs du moment, se délectait de la faculté propre à Douce d'écouter, les yeux brillants. Douce écoutait comme personne, et, pur miracle, ne parlait jamais d'elle, de ses problèmes professionnels, de son enfance ou de ses migraines. Quand Pierre prit conscience qu'il ne savait rien d'elle, il était trop tard : ce silence exquis avait un arôme amer d'agressivité, et l'envahissant téléphone offrait la face ironique d'un irréductible rival. Ah, là, elle parlait !

Au bout de trois ans de délices partagés, lequel des deux entra le premier en désamour ? Difficile à dire. Ces choses-là ont beau être constantes, objet d'une abondante littérature, elles ne connaissent pas de règles. On en sait un peu sur le mécanisme du coup de foudre, ce tour que vous jouent les phrénomes, des petites glandes situées sous le nez et qui distillent de subtiles odeurs : quand elles croisent et captent des senteurs jumelles, on ne se lâche plus. C'est la même chose chez les lions et chez les singes... Douce avait appris cela en lisant un journal et ce qu'il y avait en elle de romantique s'était rebellé : quoi ! foudroyée à cause de petites glandes ? Pierre avait confirmé : oui, les travaux sur la question étaient sérieux, et il lui avait fait un topo scientifico-lyrique sur les énigmes de la sexualité, qui l'avait laissée éblouie. On ne lui avait jamais parlé de sexualité comme ça. Mais, ce jour-là, il aurait pu aussi bien lui réciter l'annuaire. Elle était sous son empire, et lui sous le sien... On ne commande pas à ses phrénomes ! Quinze jours plus tard, ils auraient pu chanter ensemble, comme Piaf, et avec une intime conviction : *« Un amour comme le nôtre, il n'en existe pas deux... »* Ils se tenaient la main, premier signe visible, se mangeaient des yeux, commandaient les mêmes plats au restaurant, changeaient la marque de leurs cigarettes pour fumer les mêmes, oubliaient tout ce qu'ils avaient lu ou appris d'expérience sur la précarité des sentiments amoureux, pour se dire : « Cette fois, ce n'est pas la même chose... »

Profondément enchantés l'un de l'autre, ils se nourrirent d'abord uniquement l'un de l'autre, puis, un peu asphyxiés tout de même par la solitude à deux, se remirent à fréquenter quelques amis qui furent amusés par cette façon qu'ont les amoureux d'être seuls au monde. Les femmes étaient nostalgiques, les hommes compatissants.

Rien ne s'opposait à ce qu'ils vivent ensemble. Le cas échéant, ils auraient d'ailleurs balayé tous les obstacles.

Pendant un mois d'été qu'ils passèrent en Irlande, Douce se divertit d'abord de le voir toujours marcher à deux pas devant elle. Où courait-il donc ? Il s'étonna : il n'avait pas conscience de ce comportement – irrépressible, semblait-il.

Il éparpillait les pages des journaux qu'il achetait nombreux, en trois langues ; les déchirait parfois. Elle aimait qu'il fût trilingue et curieux de tout, mais ensuite, comment reconstituer les pages en désordre, retrouver tel ou tel article ? Elle renonça à le discipliner et prit le pli de lire *ses* journaux au bureau.

Elle était médiocre cuisinière ; lui, indifférent à ce qu'il mangeait, mais les œufs coques du matin, tout de même, il les voulait mollets. C'était son repas principal, avec des toasts au miel. Il les fallait plongés dans l'eau bouillante pendant quatre minutes. Ni trois, ni cinq : quatre, exactement. Une fois sur trois, le téléphone sonnait pendant la cuisson, elle répondait, et les œufs durcissaient. Un jour, il prit l'initiative de les faire cuire lui-même ; elle se sentit coupable.

Souvent, il l'appelait Minette, ce qui l'horripilait. C'est ainsi que Benjamin Constant appelait

Mme de Staël, disait-il. Tu n'aimes pas Benjamin Constant ?

— Ce n'est pas la question. Si tu continues, je t'appelle Toto !

— Ah non !

Ils se jetaient à la tête Constant et Hugo, c'était plutôt gai et sans conséquence, mais ses « Minette » la mettaient à vif.

Quand Platon entra dans leur vie, ils firent assaut de séduction auprès du petit animal. Platon choisit de coucher au pied du lit du côté de Douce. Pierre en fut mortifié. Douce essaya en vain de convaincre Platon. Plus tard, il devint si grand qu'il fallut bien l'évincer. Mais, subrepticement, la lumière éteinte, il arrivait que Platon vînt se glisser entre eux deux.

Quand les sortilèges des phrénomes se furent épuisés, Pierre et Douce devinrent, dans leurs étreintes, moins ardents, encore que... Surtout, ils cessèrent de faire du moindre trait de l'autre un objet d'amour ou d'attendrissement. Ce grain de beauté sur ton sein droit... Ta façon de prononcer les « r »... L'odeur de tes cheveux... Tes pieds, si jolis... c'est ce qu'il y a de plus rare, tu sais, de jolis pieds... Mets-les sur ma figure...

Ce sont les éblouissements qui avaient disparu et auxquels s'étaient sournoisement substitués de petits griefs triviaux, concrétisés un matin par un tube de pâte dentifrice ouvert au lieu d'être fermé. Rien de grave, non, vraiment rien de grave... Un genre d'urticaire... Un lent glissement de l'amour vers la tendresse querelleuse, celle qui tient unis tant de vieux couples.

Mais, à trente, trente-cinq ans, on n'est pas un vieux couple. Après un échange un peu vif au sujet d'une clef égarée par Pierre, et une interminable conversation téléphonique de Douce qui avait empêché Pierre de l'atteindre pour la prévenir qu'il rentrerait tard, c'est Douce qui prit sur elle d'en terminer. Cet homme qu'elle avait tant aimé lui était devenu insupportable. Pour de mauvaises raisons, sans doute, mais y en a-t-il de bonnes quand aucun reproche grave ne peut être énoncé ?

Quand elle dit à Pierre, très calme : « Je crois qu'il vaut mieux nous séparer », il protesta, mais comme soulagé qu'elle formulât ce qu'il n'aurait jamais dit. Ils étaient également émus, traversés de souvenirs, et ils avaient faim. L'heure tournait, ils décidèrent d'aller dîner ensemble une dernière fois pour régler les problèmes pratiques, quasiment inexistants, d'ailleurs, et qui devaient se traiter dans la bonne entente, dirent-ils d'une même voix.

Dans la rue, elle prit Platon en laisse.

— Platon, je le garde, dit Pierre.

— Ah non ! protesta Douce. Platon est à moi !

— Il est à nous ! Laisse-le-moi au moins pendant le week-end... Ça devrait exister, un statut spécial pour les chiens de couples séparés !

— Pourquoi pas une pension alimentaire ! s'exclama Douce, hors d'elle.

Le ton entre eux monta très vite, hérissé de vilaines pointes, de méchantes remarques qui glissaient de leur bouche, comme des lézards. À cette occasion, Douce apprit qu'elle grinçait doucement des dents en dormant, et Pierre qu'il avait toujours les pieds froids.

...Platon aboyait, excité...

Quand ils se turent comme des boxeurs épuisés, vaguement honteux d'eux-mêmes, Douce dit à voix basse :

« Écoute... Écoute-moi... N'abîmons pas tout. Laissons Platon choisir. Éloigne-toi dans cette direction, je marcherai dans l'autre ; nous verrons bien lequel il suivra... »

Pierre hésita un instant, puis acquiesça. Ils s'en furent à petits pas de chaque côté de la rue, chacun appelant le chien.

Platon a suivi Douce. Mais, depuis que Pierre a quitté la maison, le labrador ne mange plus, ne boit plus. Les jours passent. Il dort sur le lit, à la place de Pierre, et devient tout maigre. Le vétérinaire a dit à Douce : « Ses reins ne fonctionnent plus. Il arrive que les chiens se suicident quand ils éprouvent de grands chagrins. J'en ai connu un qui a sauté par la fenêtre. Platon a choisi de se laisser mourir si son maître ne revient pas... Ne pleurez pas, madame, vous le remplacerez ! »

Ainsi s'acheva l'histoire d'un amour. Douce n'a pas remplacé Platon.

UN CHAT COMME ÇA...

Quand le chat se mit à parler, Alain Laugier eut un moment de stupeur. Il avait distinctement entendu :

— Bonjour, est-ce que la maison est bonne, ici ?

Le chat était entré par la fenêtre et, assis sur son derrière, le regardait. Il avait une belle robe tigrée.

« J'ai dû me tromper, se dit Alain Laugier. Quelqu'un a dû m'interpeller de l'extérieur. »

Il regarda par la fenêtre. Il n'y avait personne. Il voulut chasser le chat, mais la bête avait disparu.

Agacé, il se rassit derrière son bureau et voulut se remettre au manuscrit sur lequel il travaillait, un essai : *L'Irrationnel dans la perception*. La pièce, tendue de rouge, largement tapissée de livres, était chaude, confortable, avec deux fauteuils profonds et un éclairage tamisé, la lumière concentrée sur le bureau et l'ordinateur. Il reprit le fil de ses pensées. Mais, d'un bond, le chat avait sauté sur les touches de l'ordinateur, qui cliqueta.

— Va-t'en, fit Alain Laugier, agacé. Chat, va-t'en !

Maintenant, le chat était assis sur le bureau.

— Pourquoi êtes-vous si désagréable ? dit l'animal. Vous n'obtiendrez rien de moi en me parlant sur ce ton.

— Mais... mais vous parlez ! balbutia Laugier, ahuri.

— Tous les chats peuvent parler, mais ils ne le veulent pas.

— Comment vous appelez-vous ? demanda Laugier.

— Ma dernière maîtresse m'appelait Isidore.

« Je deviens fou, se dit Laugier, je suis en train de devenir fou ! »

Isidore balaya de sa patte les feuillets éparpillés sur le bureau.

— Non, pas ça ! hurla Laugier. Mon manuscrit !

Il se mit à quatre pattes pour ramasser ses feuillets. Isidore sauta près de lui pour lui lécher commodément le cou.

— « Opium pour hommes », de Saint Laurent, dit-il. Excellent parfum.

Laugier eut un moment d'intense découragement.

« C'est Turandeau, se dit-il, c'est Turandeau (un de ses collègues) qui m'envoie cet animal pour me déstabiliser ! »

Puis il prit conscience de la stupidité de cette

pensée. Turandeau avait trois chats, mais aucun n'avait jamais parlé.

Maintenant, Isidore jouait avec les stylos.

— Écoutez, Isidore... Je... Je vous trouve très sympathique, mais j'ai absolument besoin de travailler. Vous pouvez me laisser écrire tranquille pendant un moment ?

— Certainement, dit Isidore. Je vais reconnaître les lieux.

Quand il eut disparu, Alain Laugier saisit son téléphone, composa en tremblant un numéro, et, à voix couverte, dit à qui lui répondait :

— Viens... Viens tout de suite, je t'en prie ! Il se passe des choses terribles, chez moi. Non, rien de vraiment grave, mais... Je t'expliquerai.

Il raccrocha, soulagé d'avoir entendu une voix humaine. Celle d'Isidore avait un son particulier, rauque.

Le chat revenait de son exploration, l'air dépité.

— La couette est bonne, dit-il, mais je n'ai rien trouvé de comestible. Vous ne pourriez pas aller m'acheter une boîte de Whiskas ? Je la saute ! Tant que j'aurai faim, je ne pourrai pas vous laisser tranquille. C'est ma nature de chat.

— Une boîte de Whiskas ? balbutia Laugier. Attendez, j'ai une idée...

Il reprit son téléphone.

— Tu es encore là ? En passant, achète-moi,

s'il te plaît, une boîte de Whiskas. Oui, pour les chats.

— À l'agneau, précisa Isidore.

— À l'agneau. Vite, je t'expliquerai !

Isidore vint s'allonger devant lui.

— Dites-moi, Isidore, dit Laugier pour lui faire la conversation, pourquoi avez-vous quitté votre maîtresse ?

— Je ne l'ai pas quittée. Elle me plaisait beaucoup. Je l'avais connue, tout petit. Mais elle a changé d'amant et le nouveau m'a jeté par la fenêtre, parce qu'il était jaloux. Je couchais dans son lit. C'est miracle que je m'en sois tiré vivant.

— Mon pauvre Isidore !

— Ensuite, je vous ai vu par la fenêtre. En général, les écrivains aiment les chats. N'est-ce pas ?

— C'est vrai.

— Je sens que je vais être bien chez vous.

Isidore se frotta contre Laugier. Comme tous les chats, il ne caressait pas, c'est lui-même qu'il caressait, mais Laugier en fut tout ému.

On sonna à la porte. Laugier se précipita. Isidore se cacha sous un fauteuil.

Une jeune femme entra, portant une boîte de Whiskas.

— Qu'est-ce qui se passe ? Tu m'as affolée !

— Imagine-toi qu'un chat est entré chez moi...

— Ah bon ! Et où est le drame ?

— Tu vas voir.

Il appela :

— Isidore ! Isidore ! Le Whiskas est arrivé ! Sors de ta cachette !

— Les chats ne viennent jamais quand on les appelle, indiqua la jeune femme. D'ailleurs, Isidore, c'est un nom ridicule pour un chat !

— Ne dis pas ça, tu vas le vexer. Isidore ! Viens !

Mais Isidore ne venait toujours pas.

— Ouvrons-lui sa boîte, suggéra la jeune femme qui s'appelait Adèle. Il viendra.

Ils s'en furent à la cuisine, ouvrirent la boîte.

— Qu'est-ce qu'il a, ce chat, pour te mettre dans cet état ? demanda-t-elle.

— Tu vas voir.

Soudain, Isidore fut là et se jeta sur la nourriture.

Ils allèrent s'asseoir près de la bibliothèque tandis qu'il se gobergeait.

— Il va être content, murmura Laugier.

— Écoute, dit-elle, tu m'as parlé de choses extrêmement graves au téléphone...

— Tu vas voir ! Isidore, viens... J'ai besoin de toi !

Isidore arriva, nonchalant, en se pourléchant les moustaches.

— Merci, dit-il. J'avais une faim de loup !

La jeune femme sursauta.

— Pourquoi prends-tu cette voix ? dit-elle à Laugier.

— Ce n'est pas moi. C'est lui qui a parlé. C'est Isidore ! Il parle !

— Tu dérailles complètement, avec ce chat !

— Enfin, tu l'as entendu ?

— J'ai entendu ta voix déguisée. Tu te moques de moi, ou quoi ?

— Je te dis qu'il parle... Il m'a tout raconté. Comment on l'avait jeté par la fenêtre, la pauvre bête... Parle, Isidore, parle encore un peu...

— Il t'a raconté ? Mais tu débloques, ma parole ! Tu ne vas pas garder ici cette horrible bête...

La voix d'Isidore s'éleva :

— Horrible toi-même ! Gironde, mais sans cœur...

Adèle resta pétrifiée.

— Ah, tu vois ? dit Laugier. Je t'avais bien dit que c'était grave !

Il caressa Isidore, qui ronronna.

— Tu ne vas pas caresser ce chat qui m'insulte ! protesta Adèle.

— Franchement, ça ne me paraît pas être le problème.

Adèle saisit Isidore par la peau du cou et s'approcha de la fenêtre.

— Non ! hurla Laugier. Adèle, si tu fais ça, tu ne me reverras jamais !

Elle hésita un instant, puis lâcha Isidore qui fila se cacher à nouveau sous un fauteuil.

— J'ai besoin de boire quelque chose, dit Adèle. J'ai l'impression de perdre la tête.

— Moi aussi, soupira Laugier. D'abord, j'ai cru que j'avais des hallucinations... Mais tu l'as entendu !

Il s'approcha d'une petite table et servit deux whiskies qu'ils avalèrent d'un trait.

— Il faut faire quelque chose ! dit Adèle.

— Quoi ?

— Je ne sais pas... Appeler la SPA, la police, le donner à un cirque...

Isidore jaillit de sa cachette et sauta sur les genoux de Laugier :

— Tu ne vas pas me faire ça !

— Non, dit Laugier, non, n'aie pas peur.

À Adèle :

— Tu vois bien que je ne peux pas lui faire ça !

— Tu es gâteux, avec ce chat.

— Écoute, Adèle, nous sommes en présence d'un phénomène extraordinaire. Je suis philosophe : ça m'intéresse...

— Une sale bête, oui ! s'exclama Adèle. Une sale bête que je ne veux plus voir ici...

— Eh bien, tu n'y viendras plus ! décréta Laugier, hors de lui.

— Tu me chasses ? Tu ne me le diras pas deux fois ! hurla Adèle.

Elle saisit son manteau, attendit quelques secondes que Laugier la rappelât. Mais il resta muet et elle claqua la porte.

— Tu vois ce que tu as fait, Isidore ? murmura-t-il à l'adresse du chat.

— C'est une pécore. Je t'ai rendu un fier service, exposa Isidore. Tu me remercieras. Maintenant, je vais dormir, bonsoir !

Et il sauta des genoux de Laugier, troublé.

Quelques heures passèrent, durant lesquelles le téléphone sonna deux fois sans qu'il répondît. Il se plongea dans son manuscrit et travailla tranquillement. Quand il regagna sa chambre, après avoir mangé une aile de poulet froid qui l'attendait dans le réfrigérateur, il trouva Isidore endormi sur la couette. Il se glissa dans le lit sans le déranger et fut tout attendri de sentir cette boule tiède qui ronronnait le long de sa cuisse.

Laugier n'a pas revu Adèle qui lui fait la réputation d'un vieux fou. Elle est allée le dire à Turandeau :

— Il se figure qu'il a un chat qui parle ! Il a perdu la tête...

— Moi aussi, j'ai un chat qui parle, lui a répondu Turandeau. Tenez, c'est celui-ci, le gris... Mais je ne le raconte pas à tout le monde ! Les gens sont si bêtes... Laugier a toujours été trop bavard...

Le chat gris vint flairer Adèle.

— Je n'aime pas ton parfum, dit-il, et il repartit, dédaigneux.

Épouvantée, Adèle a pris ses jambes à son cou.

Laugier et Isidore vivent désormais en bonne intelligence. À la demande de son maître, le chat ne parle jamais en présence de visiteurs. C'est après leur départ qu'il livre ses impressions. Laugier le trouve très intelligent. Il s'est promis de faire un jour une communication à son sujet au Collège de philosophie.

TABLE

Du même auteur

Le Tout-Paris, Gallimard, 1952.
Nouveaux Portraits, Gallimard, 1954.
La Nouvelle Vague, Gallimard, 1958.
Si je mens..., Stock, 1972 ; LGF/Le Livre de Poche, 1973.
Une poignée d'eau, Robert Laffont, 1973.
La Comédie du pouvoir, Fayard ; LGF/Le Livre de Poche, 1979.
Ce que je crois, Grasset, 1978 ; LGF/Le Livre de Poche, 1979.
Une femme honorable, Fayard, 1981 ; LGF/Le Livre de Poche, 1982.
Le Bon Plaisir, Mazarine, 1983 ; LGF/Le Livre de Poche, 1984.
Christian Dior, Éditions du Regard, 1987.
Alma Mahler ou l'Art d'être aimée, Robert Laffont, 1988 ; Presses-Pocket, 1989.
Écoutez-moi (avec Günter Grass), Maren Sell, 1988 ; Presses-Pocket, 1990.
Leçons particulières, Fayard, 1990 ; LGF/Le Livre de Poche, 1992.
Jenny Marx ou la Femme du Diable, Robert Laffont, 1992 ; Feryane, 1992 ; Presses-Pocket, 1993.
Les Hommes et les Femmes (avec Bernard-Henri Lévy), Orban, 1993 ; LGF, 1994.
Le Journal d'une Parisienne, Seuil, 1994 ; coll. « Points », 1995.
Mon très cher amour..., Grasset, 1994 ; LGF, 1996.
Cosima la sublime, Fayard/Plon, 1996.
Chienne d'année : 1995, *Journal d'une Parisienne (vol. 2)*, Seuil, 1996.
Cœur de tigre, Fayard, 1995 ; Pocket, 1997.
Gais-z-et-contents : 1996, *Journal d'une Parisienne (vol. 3)*, Seuil, 1997.
Arthur ou le bonheur de vivre, Fayard, 1997.
Deux et deux font trois, Grasset, 1998.
Les Françaises, Fayard, 1999.
La Rumeur du monde, *Journal 1997 et 1998*, Fayard, 1999.

IMPRIMÉ EN ALLEMAGNE PAR ELSNERDRUCK
Dépôt légal Édit. 18980-03/2002
Librairie Générale Française - 43, quai de Grenelle - 75015 Paris
ISBN : 2-253-15246-3
31/5246/9